Darganfod Treftadaeth yr Uwchdiroedd
Discovering Upland Heritage

Mynydd Hiraethog
The Denbigh Moors

Robert J. Silvester

Gyda chyfraniadau gan - with contributions by
Louise Barker and David Leighton

COMISIWN BRENHINOL HENEBION CYMRU
ROYAL COMMISSION
ON THE ANCIENT AND HISTORICAL MONUMENTS OF WALES

Ar y cyd ag Ymddiriedolaeth Archaeolegol Clwyd-Powys
In collaboration with the Clwyd-Powys Archaeological Trust

Cyhoeddwyd gan:

Comisiwn Brenhinol Henebion Cymru

Adeilad y Goron, Plas Crug, Aberystwyth, Ceredigion, SY23 1NJ

Ar y cyd ag Ymddiriedolaeth Archaeolegol Clwyd-Powys

Mae'r Comisiwn Brenhinol yn cydnabod grant hael gan Ymddiriedolaeth Archaeolegol Clwyd-Powys at y costau cyhoeddi

ISBN 978-1-871184-40-2

Manylion Catalogio (CIP) y Llyfrgell Brydeinig. Mae cofnod catalogio'r llyfr hwn ar gael gan y Llyfrgell Brydeinig.

Comisiwn Brenhinol Henebion Cymru

Ffôn: 01970 621200
e-bost: chc.cymru@cbhc.gov.uk
Gwefan: www.cbhc.gov.uk

Published by:

Royal Commission
on the Ancient and Historical Monuments of Wales

Crown Building, Plas Crug, Aberystwyth, Ceredigion, SY23 1NJ

In collaboration with the Clwyd-Powys Archaeological Trust

The Royal Commission acknowledges a generous grant by the Clwyd-Powys Archaeological Trust towards publication costs

ISBN 978-1-871184-40-2

British Library Cataloguing in Publication Data. A catalogue record for this book is available from the British Library

Royal Commission
on the Ancient and Historical Monuments of Wales

Telephone: 01970 621200
e-mail: nmr.wales@rcahmw.gov.uk
Website: www.rcahmw.gov.uk

CYNNWYS - CONTENTS

LLINELL AMSER HIRAETHOG	TIME LINE FOR HIRAETHOG
MESOLITHIG tua 10,000 CC–tua 4,400 CC	MESOLITHIC c. 10,000 C – c. 4,400 BC
• Aled Isaf	• Aled Isaf
NEOLITHIG tua 4,400–tua 2,300 CC	NEOLITHIC c. 4,400 BC – c. 2,300 BC
• Maen Pebyll ?	• Maen Pebyll ?
YR OES EFYDD tua 2,300–tua 700 CC	BRONZE AGE c. 2,300 BC – c. 700 BC
• Crugiau Brenig	• Brenig barrows
• Mynydd Poeth	• Mynydd Poeth
YR OES HAEARN tua 700 CC–tua 70 OC	IRON AGE c. 700 BC – c. AD 70
• Cistfaen Cerrigydrudion	• Cerrigydrudion cist
• Lloc Bryn Teg	• Bryn Teg enclosure
RHUFEINIG / BRYTHONIG-RUFEINIG 70–410	ROMAN/ROMANO-BRITISH 70–410
YR OESOEDD CANOL CYNNAR 410–tua 1070	EARLY MEDIEVAL 410 – c. 1070
• Mynwent Gwytherin	• Gwytherin churchyard
YR OESOEDD CANOL tua 1070–1540	MEDIEVAL c. 1070–1540
• Hen Ddinbych	• Hen Ddinbych
• Hafod Elwy	• Hafod Elwy
• Nant Griafolen	• Nant Griafolen
ÔL–GANOLOESOL 1540–1900	POST–MEDIEVAL 1540–1900
• Pincyn Llys	• Pincyn Llys
• Ffordd Caergybi	• Holyhead road
MODERN 1900–	MODERN 1900–
• Gwylfa Hiraethog	• Gwylfa Hiraethog
• Cronfeydd Dŵr	• Reservoirs
• Melinau Gwynt	• Windmills

Gyferbyn. Awyrlun o'r dwyrain o adfeilion Gwylfa Hiraethog,. Rheolir y gweundir grugog i fagu grugieir arno. Caiff stribedi o'r grug eu torri'n gyson i hyrwyddo'i adfywio a sicrhau twf ffres a maethlon ohono.

Opposite. The ruins of Gwylfa Hiraethog, aerial view from the east. The surrounding heather moorland is managed as grouse moor. The heather is mown regularly in strips to promote regeneration and nutritious fresh growth.

CBHC - RCAHMW AP2007_2113, NPRN 23045

Rhagair

Tir uchel, dros 250 o fetrau uwchlaw lefel y môr, yw bron hanner tir Cymru ac yno cewch chi drysorfa anferth o olion archaeolegol a threftadaeth ein gwlad. Gan na fu rhyw lawer o ddatblygu ar y tir hwnnw, ceir tystiolaeth helaeth yno o fywydau pobl dros filoedd o flynyddoedd. Mae'r olion hynny o bwys rhyngwladol. Bydd yr uwchdiroedd yn denu llawer o ymwelwyr ac maent yn rhan allweddol o hunaniaeth y cymunedau sy'n byw o'u hamgylch. Nod rhaglen fawr o waith maes Menter Archaeoleg yr Uwchdiroedd, menter a drefnir gan Gomisiwn Brenhinol Henebion Cymru a'i bartneriaid, yw arolygu pob darn o uwchdir sydd heb ei wella yng Nghymru. Drwy ddod o hyd i lu o safleoedd archaeolegol ac astudio'r dystiolaeth bresennol o'r newydd, fe ddechreuwn ni gael atebion i gwestiynau pwysig am rôl yr uwchdiroedd yn hanes Cymru - atebion sy'n ychwanegu dimensiwn newydd at werthfawrogi a mwynhau'r tirweddau godidog hynny.

Dyma'r llyfr cyntaf mewn cyfres o orolygon rhanbarthol a seilir ar ffrwyth y gwaith maes sydd wedi'i wneud yn fwyfwy helaeth ledled Cymru, ac ynddo cewch hanes y can milltir sgwâr o uwchdiroedd Mynydd Hiraethog. Gan i bobl gyfanheddu neu ddefnyddio'r bryniau hynny dros filoedd ar filoedd o flynyddoedd, mae olion eu gweithgareddau i'w gweld yn y dirwedd hyd heddiw a chewch ddisgrifiad o'r gweithgareddau hynny yng ngoleuni'r darganfyddiadau diweddar. Nid hanes arglwyddi mawr, gwleidyddion na rhyfeloedd mohono, ond hanes to ar ôl to o werin bobl a fu'n byw, yn gweithio, yn magu teuluoedd ac yn marw mewn amgylchedd a fodlonai lu o'u hanghenion ond a allai, ar adegau, fod yn arw ac yn her.

O dan nawdd y Fenter, gwnaed llawer o'r gwaith arolygu sy'n sail i'r gyfrol hon gan staff maes Ymddiriedolaeth Archaeolegol Clwyd-Powys (CPAT) ac Oxford Archaeology North. Gwnaed arolygon manwl o'r henebion gan Louise Barker a David Leighton o'r Comisiwn Brenhinol. Lluniwyd y testun gan Bob Silvester o CPAT a chafwyd cyfraniadau

Preface

The upland landscapes of Wales are a vast treasure trove of archaeology and heritage. Nearly half of the countryside of Wales is upland over 250 metres in altitude. The exceptional survival of evidence in these largely undeveloped areas for the lives of people across millennia makes them of international importance. The uplands are also much loved as places to visit and explore and are part of the identity of the communities that surround them. The Uplands Archaeology Initiative is a major fieldwork programme, organised by the Royal Commission on the Ancient and Historical Monuments of Wales and its partners, to survey all the unimproved upland of Wales. The discovery of many archaeological sites and fresh examination of the existing evidence are beginning to answer important questions about the role of the uplands in the history of Wales and bring a new dimension to the appreciation and enjoyment of these spectacular landscapes.

This book is the first in a series of regional overviews based on the results of fieldwork, which has been carried out progressively across Wales. It tells the story of the uplands known in Welsh as Mynydd Hiraethog and in English as the Denbigh Moors – an area of 100 square miles. Over many thousands of years people have settled or utilised these hills and left traces of their activities visible in the landscape today. This book describes those activities in the light of recent discoveries. The story is not of great lords, politics and warfare, but of many generations of ordinary people, living, working, raising families and dying, in an environment that provided for many of their needs but that at times could be harsh and challenging.

Much of the survey work that forms the basis of this volume was carried out under the auspices of the Initiative by field staff of the Clwyd-Powys Archaeological Trust (CPAT) and Oxford Archaeology North. Detailed monument surveys were carried out by Louise Barker and David Leighton of The Royal Commission. The text was written by Bob

Golwg o'r gogledd ar grug crwn, Brenig 45, sydd bellach ar lan Cronfa Ddŵr Brenig. Mae'n rhan o fynwent o'r Oes Efydd ac mae gwaith cloddio wedi dangos mor gymhleth oedd hanes codi'r twmpath claddu hwn.

Round barrow, Brenig 45 (also known as Boncyn Arian), now on the edge of the Brenig Reservoir, seen from the north. Part of a Bronze Age cemetery, excavation showed that this burial mound had a complex history of construction.

CBHC - RCAHMW DS 2008_245_007, NPRN 303463

gan David Leighton a Louise Barker. Darllenodd y Comisiynwyr Dr Mark Redknap a Dr Llinos Smith ddrafftiau o'r testun ac awgrymu gwelliannau, a gwiriwyd y teithiau cerdded gan Neil Harries. Golygwyd copi'r testun gan David Browne a Peter Wakelin. Paratowyd y mapiau gan Sal Garfi, a'r patrwm a'r gwaith darlunio gan John Johnston a Charles Green. O gasgliadau CBHC gan mwyaf y daw'r ffotograffau ac fe'u tynnwyd gan Iain Wright (ar lawr gwlad) a Toby Driver (o'r awyr). Cafwyd eraill, yn garedig iawn, o gasgliadau Amgueddfa Cymru, Llyfrgell Genedlaethol Cymru a CPAT. Dr Fiona Grant a ddadansoddodd graidd y fawn.

Cyfeirir at y safleoedd a ddarlunnir, a'r rhai a grybwyllir yn y rhestr o 'Safleoedd i Ymweld â Hwy', gan ddefnyddio'u Rhifau Cofnodi Sylfaenol Cenedlaethol (NPRN). Gellir gweld manylion y safleoedd unigol drwy Coflein, cronfa ddata ar-lein Cofnod Henebion Cenedlaethol Cymru *www.coflein.gov.uk*. Gellir chwilio honno drwy fapiau a thrwy NPRNs a chategorïau eraill o wybodaeth am safleoedd. Ar wefan y Comisiwn Brenhinol, sef *www.cbhc.gov.uk*, ceir llawer rhagor o wybodaeth am uwchdiroedd Cymru ac am brosiect yr uwchdiroedd.

Silvester of CPAT with contributions from David Leighton and Louise Barker. Commissioners Dr Mark Redknap and Dr Llinos Smith read drafts of the text and suggested amendments, and Neil Harries checked the walks. David Browne and Peter Wakelin copy edited the text. Maps were prepared by Sal Garfi, lay-out and illustration were by John Johnston and Charles Green. The photographs are mostly from the collections of The Royal Commission and were taken by Iain Wright (ground) and Toby Driver (aerial). Others were kindly provided from the collections of the National Museum of Wales, the National Library Wales and CPAT. The analysis of a peat core was carried out by Dr Fiona Grant.

Illustrated sites and those mentioned in the 'Sites to Visit' list are referenced by National Primary Record Number (NPRN). Individual site details can be viewed through the National Monuments Record of Wales, online database *www.coflein.gov.uk*. This can be searched both cartographically and by NPRN and by other site information categories. The Royal Commission's website, *www.rcahmw.gov.uk*, contains further information about the uplands of Wales and the uplands project.

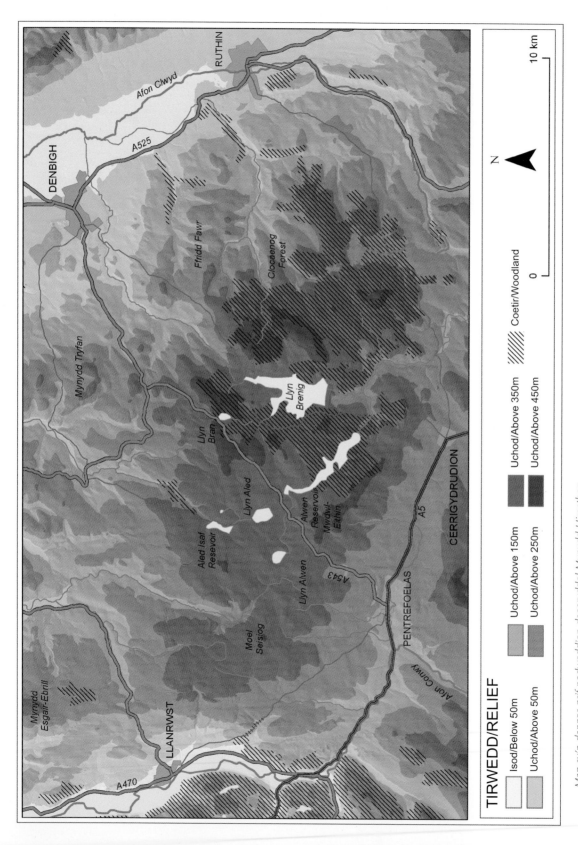

TIRWEDD/RELIEF

Isod/Below 50m	Uchod/Above 350m
Uchod/Above 50m	Uchod/Above 450m
Uchod/Above 150m	Coetir/Woodland
Uchod/Above 250m	

N

0   10 km

Map sy'n dangos prif nodweddion daearyddol Mynydd Hiraethog.

Location map showing the main topographic features of Mynydd Hiraethog/Denbigh Moors.

DENBIGH
RUTHIN
LLANRWST
PENTREFOELAS
CERRIGYDRUDION

Afon Clwyd
A525
Ffridd Fawr
Clocaenog Forest
Mynydd Tryfan
Llyn Brenig
Llyn Bran
Llyn Aled
Aled Isaf Reservoir
Alwen Reservoir
Mwdwl-Eithin
Moel Seisiog
Llyn Alwen
A543
A5
Afon Conwy
A470
Mynydd Esgair-Ebrill

Rhagymadrodd

Tir uchel heb ei gau, dros 250 o fetrau uwchlaw lefel y môr, yw bron hanner tir Cymru ac yno cewch chi drysorfa anferth o olion archaeolegol a threftadaeth ein gwlad. Gan na fu rhyw lawer o ddatblygu ar y tir hwnnw, ceir tystiolaeth helaeth yno o fywydau pobl dros filoedd o flynyddoedd. Mae'r olion hynny o bwys rhyngwladol. Bydd ymwelwyr yn heidio i'r uwchdiroedd ac mae'r tiroedd hynny'n rhan allweddol o hunaniaeth y cymunedau o'u hamgylch. Gan fod astudiaeth Comisiwn Brenhinol Henebion Cymru a'i bartneriaid, drwy Fenter Archaeoleg yr Uwchdiroedd, yn dod o hyd i lu o safleoedd archaeolegol, fe ddechreuwn ni gael atebion i gwestiynau pwysig am hanes Cymru.

Cyn i uwchdiroedd Cymru gyrraedd arfordir y gogledd, fe gewch chi gan milltir sgwâr o weundir anial ac ymddangosiadol wag sef, yng ngeiriau un sylwebydd diweddar (Skuse, 2001), 'one of the very last unspoiled wild places in Wales'. Mynd yn ôl i ddechrau'r drydedd ganrif ar ddeg, o leiaf, wna'r enw Hiraethog, neu Hiraythok, a'i ystyr yw 'gweundir maith' (Owen a Morgan, 2007). Ychwanegiad tipyn diweddarach yw'r elfen 'Mynydd' ac ni cheir enghraifft ohoni cyn 1700.

Gellir dweud mai Hiraethog yw'r uwchdir sy'n denu leiaf o ymwelwyr yn y gogledd. Er bod y fro rhwng bryniau Dyffryn Clwyd a mynyddoedd Eryri, dwy ardal sy'n denu ymwelwyr lu, osgoi Hiraethog wnâi'r teithwyr cynnar. Eu tuedd hwy, fel Daniel Defoe yn gynnar yn y ddeunawfed ganrif, oedd dilyn ffordd y glannau wrth fynd am Ddyffryn Conwy ac Eryri. Wnaeth Hiraethog fawr o argraff, chwaith, ar y rhai a fentrodd iddi. Wrth i Walter Davies (Gwallter Mechain), yr ysgolhaig a'r clerigwr nodedig, drafod arferion amaethu'r gogledd ar ddechrau'r bedwaredd ganrif ar bymtheg, dywedodd fod Hiraethog yn 'one of the most extensive and

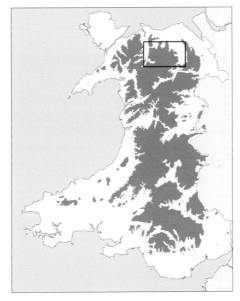

Introduction

The uplands landscapes of Wales are a vast treasure trove of archaeology and heritage. Nearly half of the countryside of Wales is unenclosed upland over 250 metres in altitude. The exceptional survival, in these largely undeveloped areas, of evidence for the lives of people across millennia makes them of international significance. The uplands are much loved as places to visit and explore and are part of the identity of the communities that surround them. The study of these areas, through the Uplands Archaeology Initiative by the Royal Commission on the Ancient and Historical Monuments of Wales and its partners is, discovering many previously unidentified sites and is beginning to answer important questions about the history of Wales.

Immediately before the Cambrian Mountains pitch down to the Irish Sea they form the bleak and seemingly empty moorlands known in Welsh as Mynydd Hiraethog and in English as the Denbigh Moors, an area of 100 square miles that is, as a recent commentator put it (Skuse 2001), 'one of the very last unspoiled wild places in Wales'. The name Hiraethog, as Hiraythok, goes back at least to the beginning of the thirteenth century and means 'long gorse-land' (Owen and Morgan 2007). The incorporation of the element 'Mynydd' for mountain occurs rather later, not being attested before 1700.

Hiraethog can lay claim to being one of the least visited uplands in north Wales, though it is sandwiched between the better known Clwydian Hills and the magnet for visitors that is Snowdonia. Early travellers avoided it, tending like Daniel Defoe in the early eighteenth century to follow the coastal road while heading for the Conwy valley and the mountains of Snowdonia. Those who did penetrate Hiraethog found it an unattractive proposition. The celebrated Welsh scholar and

dreary wastes in the principality' (Davies, 1810). Llai canmoliaethus byth oedd y Parchedig John Evans ym 1798 ar ôl teithio o Lanrwst i Bentrefoelas:

> nothing but a desart [sic] heath presents itself to the disappointed view. It is barren morass, circumscribed by naked brown mountains which give it a sombre air of melancholy grandeur. As afar as the eye can keen the prospect is relieved by no variety; nor is the view interrupted by a single object that can awaken curiosity. Not an enclosure, not a hut, nor the most distant trace of the country being inhabited. The very cattle, as though prognosticating famine if they staid, had forsaken it; nor was one of the feathered tribes heard to chaunt his aerial song. Making the best of our way we at length discovered a few turbaries [mawnogydd] which intimated human beings were at no great distance; and further on we discovered some poor people with sledges, dragging away the peat and turf.... We found ourselves enveloped with gloom (Evans, 1798).

Ni wyddai hyd yn oed y teithiwr diflino George Borrow ar ei daith drwy Gymru yn y 1850au fawr ddim am y gweundir hwn heblaw bod man geni Gruffudd Hiraethog, y bardd o'r unfed ganrif ar bymtheg, gerllaw. Go wahanol yw'r farn am y gweundir agored hwn erbyn heddiw ac mae awduron lleol fel y diweddar Frank Price Jones wedi canmol heddwch Hiraethog (Jones 1969). Mae parch i wacter gwyllt Hiraethog, a chydnabyddir bod yr olion archaeolegol wedi goroesi'n well yma nag mewn llawer ardal arall – yn rhannol am nad ymyrrwyd â'r dirwedd. A hyd yn oed heddiw, does fawr wedi'i ysgrifennu am Fynydd Hiraethog.

Camarweiniol yw'r argraff a gewch ar yr olwg gyntaf, sef nad oes dim arwydd o weithgarwch dynol i'w weld yma. Dros filoedd ar filoedd o flynyddoedd, mae pobl wedi cyfanheddu neu ddefnyddio bryniau'r fro ac mae olion eu gweithgareddau i'w gweld yn y dirwedd a welwn ni heddiw. Yn y llyfr hwn fe ddisgrifir y gweithgareddau hynny yng ngoleuni'r darganfyddiadau diweddar. Nid hanes arglwyddi mawr, gwleidyddion na rhyfeloedd mohono. Yn hytrach, stori yw hi am do ar ôl to o werin bobl a fu'n byw, yn gweithio, yn

clergyman Walter Davies (Walter Mechain), in his discussion of the farming practices of north Wales at the beginning of the nineteenth century, referred to Hiraethog as 'one of the most extensive and dreary wastes in the principality' (Davies 1810). A few years earlier, in 1798, the Reverend John Evans, travelling from Llanrwst in the Conwy Valley to Pentrefoelas, was even less complimentary:

> nothing but a desart [sic] heath presents itself to the disappointed view. It is barren morass, circumscribed by naked brown mountains which give it a sombre air of melancholy grandeur. As afar as the eye can keen the prospect is relieved by no variety; nor is the view interrupted by a single object that can awaken curiosity. Not an enclosure, not a hut, nor the most distant trace of the country being inhabited. The very cattle, as though prognosticating famine if they staid, had forsaken it; nor was one of the feathered tribes heard to chaunt his aerial song. Making the best of our way we at length discovered a few turbaries [peat cuttings] which intimated human beings were at no great distance; and further on we discovered some poor people with sledges, dragging away the peat and turf.... We found ourselves enveloped with gloom (Evans 1798).

Even that inveterate traveller George Borrow, who made his way around Wales in the 1850s, was aware of the moors only because the sixteenth-century poet Gruffudd Hiraethog had been born nearby. Today perceptions of these open moorlands are rather different. Their wild emptiness is valued, and it is recognised that the archaeological remains have survived here better than in many other areas partly because of the lack of intervention in the landscape. Even now, however, little has been written about Mynydd Hiraethog.

On first sight the moors appear devoid of human activity. Such an impression is misleading. Over many thousands of years people have settled or utilised these hills and the traces of their activity have been left behind in the landscape visible today. This book describes these activities in the light of recent discoveries. The story is not of great lords, politics and warfare. Instead it is of many generations of ordinary people, living, working,

Map John Evans o 1795 yw'r un cynharaf o Fynydd Hiraethog i ddangos unrhyw fanylion. Yma, mae hen ffordd y goets fawr i Ddinbych yn rhedeg o'r gwaelod ar y chwith i'r gornel uchaf ar y dde, a dangosir enwau unigol y ffermydd sydd â phobl yn byw ynddynt.

John Evans's map of 1795 is the earliest depiction of Mynydd Hiraethog to show any details. Here the old coach road to Denbigh runs from bottom left to top right, and the occupied farms are individually named.

Llyfrgell Genedlaethol Cymru - National Library of Wales

magu teuluoedd ac yn marw mewn amgylchedd a fodlonai lu o'u hanghenion ond a allai, ar adegau, fod yn her i'w drin. Tan yn gymharol ddiweddar, prin oedd cofnodion ysgrifenedig pobl gyffredin y fro o'u gweithgareddau beunyddiol, ond drwy astudio'r olion archaeoleg gallwn ni ddechrau deall pa mor bwysig oedd Hiraethog i'r cymunedau hynny ers talwm.

raising families and dying in an environment that provided for many of their needs but that at times could be challenging. Until relatively recently, ordinary people and ordinary activities left few written records. But through archaeology we can begin to understand how important Hiraethog was to such past communities.

Tirwedd Hiraethog

The Hiraethog Landscape

Fel cynifer o uwchdiroedd eraill, does dim terfynau pendant i dirwedd Mynydd Hiraethog. Tua'r gorllewin, mae'n disgyn i Ddyffryn Conwy, ac i'r dwyrain ohoni mae Dyffryn Clwyd: rhyw 15 milltir sydd rhwng y ddau. Yn y gogledd, try'n fryniau ar hyd ymylon yr arfordir rhwng trefi gwyliau Llandudno a'r Rhyl. Wyth neu naw milltir tua'r de, mae dyffrynnoedd bas yn cysgodi'r nentydd bach a ddilynir gan yr A5 sy'n gwahanu Hiraethog oddi wrth y gyfres nesaf o uwchdiroedd Cymru.

Mynydd Hiraethog as a landscape lacks sharp boundaries, but much the same could be said about many uplands. Westwards it slopes away to the valley of the River Conwy, while to the east there is the valley of the Clwyd: the distance between the two valleys is about 15 miles. On the north the moorlands merge into the lower hills that fringe the coastal strip between the resorts of Llandudno and Rhyl. Eight or nine miles to the south shallow valleys shelter small streams followed by the Holyhead Road (the A5), which separate Hiraethog from the next range of the Cambrian Mountains.

(Gyferbyn). Mae'r llun hwn yn dangos lle mae tir amaeth a gweundir yn ffinio â'i gilydd ar lethrau deheuol Hiraethog. Mae muriau cerrig y caeau'n ymwthio i'r gweundir a gwyrddlesni'r tir pori'n cyferbynnu â'r darnau brown o dir corsiog isel sydd heb ei wella, a'r gweundir agored sydd dan orchudd o laswellt y gweunydd a grug.

(Opposite). This view highlights the juncture of farmland and moorland on Hiraethog's southern slopes. The enclosed fields defined by their stone walls edge into the moors, the green of the pasture land contrasting with both the brown patches of low-lying marshy ground, which has not been improved, and the open moorland covered by moor-grass and heather.

Ymddiriedolaeth Archaeolegol Clwyd-Powys - *Clwyd-Powys Archaeological Trust, 01-c-0217*

Mae niwl y bore bach yn ychwanegu rhyw naws arbennig at fro Hiraethog a choed conwydd Coedwig Clocaenog.

Early-morning mist adds an ethereal quality to the Denbigh Moors and the conifers of Clocaenog Forest.

O bellter o ychydig dros hanner milltir, mae adfeilion llwm tŷ saethu Arglwydd Devonport yn cyfiawnhau'r enw 'gwylfa Hiraethog'. Y Sportsman's Arms (Bryntrillyn) yw'r adeilad yn y pellter canol.

From a distance of just over half a mile, the gaunt ruins of Lord Devonport's shooting lodge lives up to its name as the 'watch-tower of Hiraethog'. The Sportsman's Arms is the building in the middle distance.

CBHC - RCAHMW, DS2008_242_004, NPRN 23045

Gan amlaf, fydd pobl ddim yn ystyried bod y cyfan o'r uwchdiroedd hyn yn perthyn i Fynydd Hiraethog. Ar draws rhannau dwyreiniol yr uwchdiroedd fe ymleda coedwig enfawr Clocaenog, ac er mai yn ystod yr ugeinfed ganrif y'i crëwyd hi, mae'n llawn cymaint o elfen o Fynydd Hiraethog ag unrhyw un arall. I lawer, serch hynny, hanfod Hiraethog yw'r gweundir agored tua'r gorllewin. Llwyfandir tonnog, a llawer ohono dros 400 metr uwchlaw lefel y môr, yw'r rheiny, a hwnt ac yma ar hyd y gwastatir cewch gopaon crwn ynghyd â dyffrynnoedd llydan sydd, yn aml, yn ddigon corsiog. Y man uchaf ar Hiraethog yw Mwdwl-eithin, sy'n 532 o fetrau (1750 o droedfeddi) uwchlaw lefel y môr, ond ymhellach tua'r dwyrain ceir copaon, fel Craig Bronbannog yng nghanol Coedwig Clocaenog, sydd dros 500 metr. Yma ac acw ar Hiraethog cewch lynnoedd naturiol a adawyd ar ôl Oes yr Iâ, sef llynnoedd Alwen, Aled a Brân, ond bach iawn ydynt o'u cymharu â'r cronfeydd dŵr a godwyd yn yr ugeinfed ganrif, sef Aled Isaf, Alwen, a Brenig yn

Not all of the uplands in this block are generally thought of as Mynydd Hiraethog. Spreading across the eastern parts of the uplands is the vast Clocaenog Forest – though created in the twentieth century this is as much an element of the Denbigh Moors as any other. But for many people it is the open moorlands to the west that epitomise Hiraethog. They form an undulating plateau, much of it over 400 metres above sea level, its flatness interrupted by rounded summits and broad and often boggy stream valleys. Mwdwl-eithin at 532 metres (1750 feet) above sea level is Hiraethog's highest point, but further east there are other summits over 500 metres, such as Craig Bronbanog, cloistered within Clocaenog Forest. Sheets of water break up the surface of Hiraethog. Llyn Alwen, Llyn Aled and Llyn Brân are natural lakes left after the Ice Age, but they are tiny compared to the twentieth-century reservoirs of Aled Isaf, Alwen and particularly Brenig, each of which captures the headwaters in a major valley.

O amgylch ymylon y gweundir cewch bentrefi bach. Mae Pentrefoelas wedi tyfu wrth ymyl ffordd Telford (yr A5 i Gaergybi) sy'n croesi canol y llun o'r dwyrain i'r gorllewin (ar y chwith) gan fynd drwy dir pori sy'n troi'n weundir ymhellach tua'r gogledd. Mae'r ffordd dyrpeg i Ddinbych, a adeiladwyd ychydig yn ddiweddarach, yn croesi'r gweundir ychydig i'r dde o'r canol. O'r golwg yn y tir coediog i'r gogledd o'r pentref mae mwnt castell canoloesol yr Hen Foelas.

Small hamlets and villages lie around the periphery of the moors. Pentrefoelas has grown up beside Telford's Holyhead road (the A5), which crosses the centre of the photo from east to west (on the left), passing through enclosed pasture lands, which merge with the moorlands further north. The slightly later turnpike road to Denbigh heads off across the moors, just right of centre. Hidden in the woodland to the north of the village is the medieval castle motte at Hen Voelas.

CBHC - RCAHMW, AP 2009_1153, NPRN 402349

arbennig. Llifa blaenddyfroedd dyffryn go fawr i bob un ohonynt.

Creigiau gwaddodol, gan gynnwys sialau, tywodfeini, cerrig llaid a grutiau, sydd dan wyneb y tir yn Hiraethog. Moldiodd llenni iâ'r dirwedd gyfan gan greu llwyfandir llyfn o donnog, gan mwyaf, ac yn ystod cyfnodau olynol o rewlifoedd gadawyd clog-glai ar y creigwely. Ond wrth i'r rhewlifoedd olaf gilio, ryw 14,000 o flynyddoedd yn ôl, gwelwyd yr amgylchedd sydd yno heddiw'n dechrau ymffurfio. Dechreuodd afonydd a nentydd dorri i mewn i'r tir, ac mor gynnar â'r pumed mileniwm CC dechreuodd mawn ymffurfio ar Gefn Mawr, y tir uchel rhwng Llyn Aled a Llyn Alwen.

O amgylch Hiraethog cewch chi bentrefi bach sydd, lawer ohonynt, â'u hanes yn mynd yn ôl i'r Oesoedd Canol Cynnar rhwng gwrthgiliad y Rhufeiniaid a'r Goresgyniad Normanaidd ym 1066, sef yr hyn yr arferai haneswyr ei alw'n 'Oesoedd Tywyll'. Ymhlith y pentrefi mae Gwytherin, Llansannan, Nantglyn, Clocaenog, Cyffylliog, Derwen a Cherrigydrudion. Ond does dim pentrefi ar y gweundir ei hun, dim ond fferm neu fwthyn hwnt ac yma. Gan mai prin yw'r ffyrdd sy'n croesi Hiraethog, prin y bydd y sawl sy'n teithio ar hyd yr A5 ar draws y gogledd yn sylwi rhyw lawer ar y gweundir sy'n ymestyn tua'r gogledd. Eithriad i hynny yw'r briffordd sy'n rhedeg tua'r de-orllewin o Ddinbych i gwrdd â'r A5 ym Mhentrefoelas. Ar hyd y ffordd honno y gwelwch chi hanfod Hiraethog - gweundir ar bob llaw a dim ond ambell gip ar gae, fferm, llyn bach a chronfa ddŵr. Fe welwch chi hefyd adfeilion llwm tŷ saethu Gwylfa Hiraethog.

Underlying Hiraethog are sedimentary rocks consisting of shales, sandstones, mudstones and grits. The landscape as a whole was moulded by ice sheets, to form for the most part a smoothly rolling plateau, and boulder clay was deposited over the bedrock during successive glaciations; but with the retreat of the last glaciers about 14,000 years ago, the present environment began to emerge. Streams and rivers began to cut into the landscape, and peat started to form as early as the fifth millennium BC on Cefn Mawr, the high ground between Llyn Aled and Llyn Alwen.

Small villages surround the Denbigh Moors, many of them with histories that stretch back to the Early Medieval centuries, between the Roman withdrawal and the Norman invasion in 1066: what used to be termed the 'Dark Ages' by historians. Such villages include Gwytherin, Llansannan, Nantglyn, Clocaenog, Cyffylliog, Derwen and Cerrigydrudion. Villages are absent from the moors themselves, however, which are occupied instead by solitary farms and cottages. Few roads cross Hiraethog and people travelling across north Wales on the Holyhead Road (A5) bypass it, largely unaware of the moorlands that spread northwards. One exception is the main road that runs south-westwards from Denbigh to meet the Holyhead Road at Pentrefoelas. Drive along this road and you witness the essence of Hiraethog. The moors stretch out on either side, offering only an occasional view of enclosed fields and isolated farms, small lakes and reservoirs, and the gaunt ruins of the shooting lodge known as Gwylfa Hiraethog.

Gwelir llawer o brif nodweddion tirwedd Hiraethog yn y llun hwn o Gronfa Ddŵr Alwen. Yn y tu blaen, mae'r ffordd dyrpeg o Bentrefoelas i Ddinbych yn troelli rhwng tir pori a gaewyd a gweundir sydd heb ei wella. Erbyn hyn, dydy ei rhagflaenydd, hen ffordd y goets fawr i Ddinbych, fawr mwy na lôn werdd sy'n croesi'n syth fel saeth ar draws canol y llun. Yn ei hymyl, ond bron o'r golwg, mae bwthyn Pen-y-ffridd. Yn y cefndir, mae planhigfeydd gorllewinol Coedwig Clocaenog yn cyrraedd ymylon y gronfa ddŵr.

Many of the major features of the Hiraethog landscape are visible in this view of the Alwen Reservoir. The turnpike road between Pentrefoelas and Denbigh snakes between enclosed pasture and unimproved moorland in the foreground. Its predecessor, the old coach road to Denbigh, is now little more than a green lane cutting arrow-straight across the centre of the picture, and the cottage of Pen-y-ffrith just visible beside it. In the background the reservoir is fringed by the western plantations of Clocaenog Forest.

Ymddiriedolaeth Archaeolegol Clwyd-Powys - Clwyd-Powys Archaeological Trust, 01-c-169

Astudio Hiraethog

Datblygiad diweddar yw'r ymddiddori yn nhirwedd a hynafiaethau Hiraethog. Yn ôl disgrifiad John Leland, hynafiaethydd y brenin, o'r diriogaeth weinyddol a gynhwysai Hiraethog yn y 1530au, y fro hon oedd 'the worst parte of al Denbigh land and most baren'. Ni soniodd air am ei hanes (Smith, 1964). Gan Thomas Pennant, yr hynafiaethydd enwog o Sir y Fflint sy'n enwog am ei daith drwy Gymru ym 1778, cafwyd cyfeiriad byr at 'Llyn Aled, the small lake … between black and heathy mountains', ond fel arall fe anwybyddodd ef y gweundir uchel hwn ac ni wyddai ddim oll, i bob golwg, am yr olion sydd yma o'r cyfnod cynhanesyddol a chyfnodau diweddarach (Pennant, 1784). Yr astudiaeth fanwl gyntaf i gynnwys arsylwadau maes ar y safleoedd archaeolegol ar Hiraethog oedd honno ar gyfer yr *Inventory* o henebion Sir Ddinbych a luniwyd ym 1914 gan Gomisiwn Brenhinol Henebion Cymru (CBHC, 1914). Fe'i disodlwyd hi'n rhannol, bymtheg mlynedd yn ddiweddarach, gan gyfrol o ymchwil ofalus gan hynafiaethydd lleol o fri, y Parchg Ellis Davies, ficer Chwitffordd yn Sir y Fflint (Davies, 1929). Y ddwy astudiaeth hynny, gyda'i gilydd, a osododd batrwm cyffredinol yr ymchwil i archaeoleg Hiraethog, sef astudio'r cyfan o Sir Ddinbych a thrin Hiraethog yn ddim ond elfen ohoni. Dilyn yr un trywydd a wnaed ym 1991 yn y gyfrol ehangach ei daearyddiaeth, *The Archaeology of Clwyd*, a cham priodol ddigon oedd ei chyflwyno er cof am Ellis Davies (Manley ac eraill, 1991).

Os na chafwyd rhyw lawer o arsylwadau maes ar y gweundir, prinnach byth fu'r cloddio archaeolegol yno. Ceir sôn bod chwarelwyr lleol wedi agor crugiau yma yn yr 1850au, ac mae'r pantiau ar frig rhai o'r twmpathau fel petaent yn cadarnhau hynny. Er i ffos gael ei thorri ym 1956 drwy wrthglawdd enigmatig Hen Ddinbych uwchlaw Dyffryn Brenig (Gresham ac eraill, 1959), yn y 1970au y gwnaed y gwaith cloddio helaethaf o lawer, hyd yn hyn, ar Hiraethog. Bryd hynny, cyn i Ddyffryn Brenig gael ei foddi, gwnaed ymdrech bwrpasol i archwilio crugiau o'r Oes Efydd, hafod ôl-ganoloesol a nodweddion eraill.

Ym 1992 trosglwyddwyd y cyfrifoldeb dros asesu archaeoleg uwchdiroedd Cymru i'r Comisiwn

Studying Hiraethog

Interest in the landscape and antiquities of Hiraethog is a recent development. The king's antiquary, John Leland, described the administrative area in which Hiraethog lay as 'the worst parte of al Denbigh land and most baren' in the 1530s and made no comment on its history (Smith 1964). Thomas Pennant, the renowned Flintshire antiquary famous for his tour of Wales in 1778, briefly referred to 'Llyn Aled, the small lake … between black and heathy mountains', but otherwise ignored these upland moors and seems to have had no knowledge of their prehistoric and later remains (Pennant 1784). The first detailed study involving field observations of the archaeological sites on Hiraethog was for the Denbighshire Inventory prepared by the Royal Commission on the Ancient and Historical Monuments of Wales in 1914 (RCAHMW 1914). This was partially superseded fifteen years later by a carefully researched volume prepared by an eminent local antiquary, Revd Ellis Davies, vicar of Whitford in Flintshire (Davies 1929). Together these studies introduced the general pattern in the archaeological investigation of Hiraethog, in which Denbighshire as a whole was the area of study and Hiraethog simply one element. This approach persisted in 1991 with the geographically wider synthesis, *The Archaeology of Clwyd*, fittingly dedicated to the memory of Ellis Davies (Manley et al. 1991).

If field observations of the moors were not commonplace, archaeological excavations on them have been even rarer. There are reports that local quarrymen opened barrows here in the 1850s, the visible hollows in the tops of some mounds seemingly confirming the accuracy of the reports. The enigmatic earthwork of Hen Ddinbych above the Brenig valley had a trench cut through it in 1956 (Gresham et al. 1959), but by far the most extensive excavations on Hiraethog to date were in the 1970s, when a concerted campaign in advance of the flooding of the Brenig Reservoir examined Bronze Age barrows, a post-medieval summer settlement and other features.

In 1992 the Royal Commission took on responsibility for assessing the archaeology of the uplands of Wales under what became known as the

Cloddiwyd y garnedd lwyfan hon, Brenig 51, ddechrau'r 1970au. Cawsai ei chodi mewn dau gam: cafodd y cylch eang a gwastad gwreiddiol ei lenwi'n ddiweddarach a'i droi'n llwyfan gwastad a di-dor o gerrig sydd â charnedd fach am y terfyn a'r ymyl ar y dde (y tu allan i'r llun). Safai'r garnedd ar hen safle anheddu. O'r de y tynnwyd y llun.

This platform cairn, Brenig 51, under excavation in the early 1970s, was built in two stages: a broad, flat ring enclosing an open space subsequently filled to make a continuous level platform of stone with a small cairn abutting the kerb on the right (out of picture). The cairn overlay an earlier occupation site. Viewed from the south.

CBHC - RCAHMW, DI2009_0888, NPRN 409201

Brenhinol o dan yr hyn a alwyd maes o law yn Fenter Archaeoleg yr Uwchdiroedd. Mynydd Hiraethog oedd un o'r llu o fröydd mynyddig lle nad oedd yr un o'r olion archaeolegol wedi'i astudio'n drefnus. Testun un o'r arolygon maes cyntaf oedd coridor 1.5 cilometr o led ar draws Mynydd Hiraethog i fesur potensial archaeolegol y fro. Cerddodd timau bach o archaeolegwyr yn agos at ei gilydd dros y tir gan gofnodi a mapio pob nodwedd o wneuthuriad dyn a welent. Rai blynyddoedd yn ddiweddarach, cwblhaodd dau gorff, Ymddiriedolaeth Archaeolegol Clwyd-Powys ac Oxford Archaeology North, astudiaeth o ddarnau cyfagos o dir, ac archwiliwyd darnau pellach o'r gweundir adeg y paratoadau i godi fferm wynt yno - datblygiad y rhoddwyd y gorau iddo yn y pen draw. Ddiwedd 2006 fe arolygwyd y rhannau olaf o'r tir i gwblhau'r arolwg o Hiraethog i'r gorllewin o Gronfa Ddŵr Alwen.

Gellir casglu gwybodaeth am Fynydd Hiraethog o amrywiol ffynonellau. Ar hen fapiau - yn hen argraffiadau gan yr Arolwg Ordnans ac yn gynlluniau mewn llawysgrif - cewch chi dystiolaeth bwysig o weithgarwch pobl ac o ddefnyddio'r tir gynt, ac mae rhai dogfennau ysgrifenedig o ganrifoedd cynt ar gael. Gall awyrluniau a dynnwyd o dan yr amodau cywir o heulwen a chysgod gynnig llawer o wybodaeth i ni. Gall ysgrifeniadau hynafiaethwyr â chwedlau a thraddodiadau lleol gynnwys gwybodaeth ddefnyddiol a bod yn arwyddion gwerthfawr o argraffiadau pobl o'r fro ers talwm. Drwy ategu pob un o'r rheiny â gwaith maes archaeolegol ar lawr gwlad, gallwn ni adrodd hanes Hiraethog ac ymchwilio i'r themâu sydd wedi codi dros y canrifoedd yn y dirwedd eang hon.

Uplands Archaeology Initiative. Mynydd Hiraethog was one of many upland regions where there had been no coherent or systematic study of the archaeological remains. One of the first field surveys was a 1.5 kilometre-wide corridor across Mynydd Hiraethog, undertaken to determine the area's archaeological potential. The ground was walked in closely-spaced transects by small teams of archaeologists who recorded and mapped every man-made feature that was identified. In later years adjacent areas were completed by two organisations, the Clwyd-Powys Archaeological Trust and Oxford Archaeology North, while further parts of the moorland were examined in preparation for a windfarm development that ultimately was abandoned. The final blocks of land to complete the survey of Hiraethog, west of the Alwen Reservoir, were surveyed at the end of 2006.

Information about Mynydd Hiraethog can be assembled from various sources. Old maps, both printed Ordnance Survey editions and manuscript plans, provide important evidence of earlier human activity and land use, and some written documents from earlier centuries are available. Aerial photographs taken in the right conditions of sunlight and shadow can be extremely informative. Antiquarian writings and local tales and traditions may contain useful information and are valuable indicators of past perceptions of the locality. All of these approaches are complemented by archaeological fieldwork on the ground, enabling us to tell the story of Hiraethog and explore the themes that have emerged over the centuries in this broad landscape.

Hanes Hiraethog

Hiraethog through History

Mae pobl yn byw, yn gweithio ac yn marw ar gan milltir sgwâr gweundir a dyffrynnoedd uchel Hiraethog ers yn fuan ar ôl diwedd yr Oes Iâ ddiwethaf. Ac er bod rhai unigolion, grwpiau teuluol neu gymunedau bach heb adael fawr ddim o'u hôl, mae olion rhai eraill i'w gweld yn fwy pendant o lawer ar y tir.

Rhwng tuag 8,000 a 4,500 CC teithiai helwyr-gasglwyr yr oes Fesolithig ar draws Mynydd Hiraethog i hela. Adawson nhw fawr o olion amlwg heblaw am yr offer a'r arfau o gallestr y cafwyd hyd iddynt wrth gloddio ac ar wyneb y pridd. O ddadansoddi'r paill mewn creiddiau a gymerwyd drwy'r pridd, yr argraff a gawn ni yw bod pobl wedi clirio rhai o'r coedwigoedd ôl-rewlifol helaeth erbyn 6,000 CC – drwy eu rhoi ar dân, mae'n debyg, i agor tiroedd hela a gwella'r tir pori – ond iddynt adael y tir coediog yn y dyffrynnoedd mwyaf cysgodol ar hyd llethrau'r bryniau isaf.

Amaethu parhaol yw nodwedd yr oes Neolithig a ddilynodd hynny. Er mai prin yw olion pendant y cymunedau amaethu cynnar, mae'r hyn y cafwyd hyd iddo'n awgrymu i grwpiau Neolithig ymgartrefu o amgylch ymylon y gweundir yn y dyffrynnoedd am fod y pridd yno'n fwy ffrwythlon. Ond wrth i'r boblogaeth gynyddu ac i'r hinsawdd wella yn yr Oes Efydd, yr ail fileniwm CC, gwnaeth y cymunedau fwy o ddefnydd o'r gweundir. Mae dadansoddiad o'r paill yno'n dangos bod coed wedi dal i dyfu dros rai rhannau o'r gweundir canolog, er enghraifft, ar Gefn Mawr, rhwng dau lyn naturiol Aled ac Alwen. Ond erbyn hynny cawsai ardaloedd eraill, gan gynnwys llawer o'r tir yng nghyffiniau Dyffryn Brenig, ei drawsffurfio'n laswelltir agored ac, mewn mannau, yn weundir o hesg a grug, cymaint oedd effaith pobl yr Oes Efydd wrth glirio a throi'r tir a rhoi anifeiliaid i bori arno. Tyfid cnydau ar dir uchel lle na fyddai modd gwneud hynny heddiw. Cawn ni gip ar gymunedau'r Oes Efydd drwy eu tomenni claddu ac, ambell waith, eu hadeiladweithiau defodol fel meini hirion, gosodiadau cerrig ac ambell gylch o gerrig. Tipyn llai amlwg yw'r trigfannau y mae'n rhaid bod y cymunedau hynny wedi'u codi. Er y cafwyd hyd i offer ac arfau nodedig o efydd ar y gweundir o dro

People have been living, working and dying on the 100 square miles of high moors and valleys of Hiraethog since soon after the end of the last Ice Age. Some individuals, family groups or small communities are virtually invisible to us, while others have left much more tangible marks on the landscape.

Hunter-gatherers of the Mesolithic, between about 8,000 and 4,500 BC, travelled across Mynydd Hiraethog in their search for game, leaving few obvious traces except for their flint tools and weapons, which have been discovered in excavations and exposed soils. Pollen analysis of cores taken through the soil appears to show that people had cleared some of the extensive post-glacial forests by 6,000 BC, probably setting fires to open up hunting tracts and improve grazing, leaving woodland restricted to the more sheltered valleys and the lower hillslopes.

The succeeding Neolithic era is marked by settled agriculture. Tangible remains of the earliest farming communities are few, but what has been found suggests that Neolithic groups settled around the moorland fringes in the valleys where there were more fertile soils. However, as the population grew and the climate improved in the Bronze Age in the second millennium BC, communities made greater use of the moors. Pollen analysis reveals the continuing presence of tree cover in some parts of the central moors, for example on Cefn Mawr, between the two natural lakes of Aled and Alwen. Yet by this time other areas, including much of the landscape in and around the Brenig valley, had been transformed into open grassland, and in places sedge and heather moor, such was the impact that Bronze Age people had by clearing and cultivating the land and grazing stock on it. Crops were grown in upland areas where they would not be viable today. Bronze Age communities become visible through their burial mounds and occasionally ritual structures such as standing stones, stone settings and the occasional stone circle. Rather less visible are the habitations that these communities must have constructed. Though prestigious bronze implements and weapons have

Gwrthgloddiau diraddedig lloc anheddu o tua diwedd y cyfnod cynhanesyddol ym Mryn Teg ger Cerrigydrudion. Gwelir adeiladau yn y lloc ac olion y padogau a'r caeau a oedd yn gysylltiedig ag ef. O'r dwyrain y tynnwyd yr awyrlun. Does dim cloddio wedi bod ar y lloc erioed a dychmygol i raddau helaeth, felly, yw'r adluniad ar y dde. Mae'n dibynnu ar yr hyn y cafwyd hyd iddo mewn mannau eraill yng Nghymru a Lloegr.

The degraded earthworks of a later prehistoric settlement enclosure at Bryn Teg near Cerrigydrudion. The image below, viewed from the east, shows buildings within the enclosure and traces of paddocks and fields associated with it. The enclosure has never been excavated, so the reconstruction, on the right, is largely imaginary and relies on what has been found elsewhere in Wales and England.

CBHC - RCAHMW, AP2009_1174, NPRN 275797

i dro, delid i ddefnyddio callestr yn gyffredin i wneud offer ac arfau ohono.

I'r de o Gronfa Ddŵr Brenig yng Nghraig Fechan, mae tystiolaeth samplau o baill o bridd a gafwyd o dan loc diweddarach o'r Oes Efydd yn awgrymu i'r lloc hwnnw gael ei greu yng nghanol coetir prysgwydd a glaswelltir a gawsai ei bori'n arw, yn hytrach nag ar dir a gawsai ei ddiwyllio. Ac erbyn y mileniwm cyntaf CC, collodd Cefn Mawr uwchlaw Llyn Aled ei goed a newid yn dirwedd fwy agored ac arni amryw byd o rywogaethau o laswellt. Mae rhai rhywogaethau yn y paill yn dangos i'r tir gael ei bori, a gall y ffaith fod golosg yno ddangos y bu llosgi bwriadol i gadw'r grug draw.

Er hynny, fe gymerir yn ganiataol gan amlaf mai'r hyn a yrrodd y trigolion oddi ar y gweundir tua diwedd yr Oes Efydd a'r Oes Haearn a'i dilynodd oedd y gostyngiad yn ffrwythlondeb y pridd a'r dirywiad yn yr hinsawdd. Ar hyd ei ymylon, ac nid ar y gweundir, y gwelir y gweithgarwch mwyaf yn yr Oes Haearn ar ôl rhyw 700 CC. Yno cewch gyfres o lociau anheddu. Mae awyrluniau'n dangos lloc Bryn Teg a'i gaeau cysylltiedig yng nghyffiniau Cerrigydrudion. Yng Nghoedwig Clocaenog cewch chi loc hirgrwn o'r enw Cefn Bannog, lloc nad yw'n fwy na 60 metr ar ei draws, ond mae tri chylch o gytiau ar ei ymylon. Ychydig uwchlaw pentref Clocaenog mae caer fach Tan-y-llan ar bentir sy'n amddiffyniad naturiol iddo. Ond o ddadansoddi'r paill o fannau yn nyffryn Brenig, yr awgrym a gewch chi yw i rywfaint o grawn ddal i gael ei dyfu mewn rhai mannau ar yr uwchdiroedd. Awgryma'r cloddio a fu ar dŷ bychan o'r Oes Haearn yn nyffryn Brenig fod pobl bryd hynny'n byw ar Hiraethog yn ystod misoedd yr haf er mwyn manteisio ar dir pori yr ucheldir, yn union fel y digwyddodd mewn canrifoedd diweddarach.

Ni ellir ond dyfalu pa effaith a gafodd dyfodiad y Rhufeiniaid i Brydain ar ôl OC 43 – a'r Rhufeineiddio a fu ar y wlad dros y pedair canrif wedi hynny – ar y cymunedau a oedd yn ffermio ar gyrion Hiraethog. Mae ceyrydd milwrol a'r ffyrdd a'u cysylltai yn hysbys yn Rhuthun yn Nyffryn Clwyd ac yng Nghaerhun ger Afon Conwy, ond ni chafwyd hyd i odid ddim defnydd Rhufeinig ar y gweundir rhwng y ddwy afon. Fel y nodwyd mewn adroddiad yn ddiweddar, doedd dim mwynau ar Hiraethog i ddenu'r Rhufeiniaid na fawr o werth amaethyddol i'r tir.

on occasion been recovered on the moors, flint was still used ubiquitously for tools and weapons.

South of the Brenig Reservoir at Graig Fechan, pollen samples from beneath a later Bronze Age enclosure point to its construction amid roughly grazed grassland and scrub woodland rather than cultivated land, while the first millennium BC saw the loss of tree cover and a shift to a more open landscape dominated by grass species on Cefn Mawr above Llyn Aled. Certain species appearing in the pollen signal the use of land for grazing, while the presence of charcoal may show that deliberate burning was employed to control encroaching heather.

It is, however, generally assumed that upland inhabitants in the later Bronze Age and the following Iron Age were gradually forced off the moors by a combination of deteriorating soil fertility and a downturn in the climate. Iron Age activity, after about 700 BC, is most marked not within the moorland but on its fringes, where there is a series of settlement enclosures. At Cerrigydrudion the Bryn Teg enclosure shows up from the air with its associated fields. Within Clocaenog Forest there is an oval enclosure known as Cefn Bannog, no more than 60 metres across, which has three hut circles on its perimeter, and just above the village of Clocaenog is the small fort of Tan-y-llan occupying a naturally defensive promontory. Yet pollen analyses from places in the Brenig valley imply that some cereal cultivation continued in selected upland spots, and the excavation of a small Iron Age house at the Brenig has been taken as evidence that Hiraethog was settled during the summer months to take advantage of the upland grazing grounds, just as was to happen in later centuries.

What impact the incursion of the Roman armies into Britain after AD 43 and the Romanisation of the countryside over the next four centuries had on the communities who farmed the fringes of Hiraethog can only be guessed at. Military forts and the roads that linked them are known at Ruthin in the Clwyd valley and Caerhun by the Conwy, but virtually no Roman material has yet come to light on the moorlands between the two rivers. As a recent study has noted, there were no mineral resources on Hiraethog to attract the Romans and little agricultural value.

Tybir mai cofebion a godwyd yn yr Oesoedd Canol Cynnar yw'r pedwar maen sydd ym mynwent Gwytherin. Plaen yw tri ohonynt, ond ceir yr arysgrif Vinnemaglus ar y pedwerydd ac mae arddull y llythrennu arno'n ei ddyddio i'r bumed neu'r chweched ganrif.

In the churchyard at Gwytherin is a line of four stones presumed to be memorials of early medieval date. Three are plain, but the fourth is inscribed to Vinnemaglus and the style of lettering dates it to the fifth or sixth century AD.

R. J. Silvester, NPRN 275771

Os gwael yw'n dealltwriaeth ni o Oes y Rhufeiniaid, mwy niwlog byth yw'r sefyllfa yn y canrifoedd dilynol. Er bod haneswyr heddiw'n petruso rhag defnyddio'r term 'Oesoedd Tywyll' am y cyfnod hyd at y Goncwest Normanaidd yn Lloegr a rhannau o Gymru tua diwedd yr unfed ganrif ar ddeg, mae'r hen derm yn dal i fod yn briodol ar

If the Roman era is poorly understood, the situation in the following centuries is even more obscure. Historians now shy away from the term 'Dark Ages' for the period up to the Norman Conquest of England and parts of Wales in the later eleventh century, but on Hiraethog the old term is still appropriate. Virtually nothing is known other

Hiraethog. Prin bod yr un dim yn hysbys yno heblaw am safle ambell eglwys yn y dyffrynnoedd o amgylch ymylon y gweundir, gan gynnwys Nantglyn a Gwytherin, lle sefydlodd y Santes Gwenfrewi leiandy yn y seithfed ganrif ac y bu, yn ôl y Fuchedd a luniwyd amdani gan awdur anhysbys, yn arweinydd un ar ddeg o forynion. Ymhlith olion eraill o bwys o'r Oesoedd Canol Cynnar mae'r garreg goffa o'r bumed neu'r chweched ganrif i Vinnemaglus, mab Senemaglus, carreg sy'n un o bedwar maen unionsyth mewn llinell ym mynwent Gwytherin, a'r ddau faen hir eithaf cyfoes â'i gilydd a arferai sefyll ar Fryn y Beddau yng Nghoedwig Clocaenog: cafwyd disgrifiad ohonynt ar ddiwedd yr ail ganrif ar bymtheg. Erbyn hyn, Amgueddfa Cymru yw cartref un o'r meini olaf hynny, un y mae'r arysgrif arno'n coffáu Similinus Tovisaci (Edwards, 1991). Awgryma nodweddion o'r fath i bobl fyw a gweithio ar ymylon y gweundir, ac ategir hynny gan y ffaith i ryw ddeugain o feddi o gistfeini hirion gael eu darganfod ar ochr bryn ger Pentrefoelas ym 1820 pan oedd Telford wrthi'n adeiladu'r ffordd i Gaergybi (Edwards, 1991).

Cawn ddarlun cliriach o fywyd ar Hiraethog ar ôl y ddeuddegfed ganrif am fod gennym ragor o wybodaeth ddogfennol, gan gynnwys manylion cain y *Survey of the Honour of Denbigh* (neu'r Stent) o 1334 (Vinogradoff a Morgan, 1914), a rhagor o ddeunydd archaeolegol a thopograffigol hefyd. Manteisiodd cymunedau'r tiroedd isel o amgylch Hiraethog ar dir pori'r gweundir yn yr haf, a chodent hafotai yno. Eto, mae hi bron yn sicr bod y mudo hwnnw rhwng hendre a hafod gan bobl ac anifeiliaid wedi digwydd am ganrifoedd maith cyn hynny. Gellir hefyd ganfod ôl y defnyddio a fu ar y gweundir yn y traciau sy'n rhedeg i fyny i Hiraethog o'r pentrefi islaw ac yn nherfynau'r plwyfi a ddiffiniwyd yn yr Oesoedd Canol: yr oedd gan aneddiadau fel Nantglyn a hyd yn oed bentrefi pell fel Llanfair Talhaearn, Henllan ger Dinbych a Llanrhaeadr Dyffryn Clwyd blwyfi a estynnai i galon Hiraethog am fod y gweundir yn cynnig defnyddiau gwerthfawr fel rhedyn ac eithin yn ogystal â thir pori uchel. Estynnodd yr amaethu allan o'r dyffrynnoedd am fod y cynnydd yn y boblogaeth yn golygu bod llai o dir ar gael. Aeth darn helaeth o orllewin Hiraethog i feddiant y mynachod Sistersaidd yn Abaty Aberconwy ar yr arfordir i'r gogledd o'r fro. Mae'n sicr mai gwarchodfa hela ganoloesol,

than the identification of a few church sites in valleys around the moorland edge, including Nantglyn and Gwytherin, where St Wenefred (*Gwenfrewi*) established a nunnery in the seventh century and, according to her anonymous 'Life', presided over eleven virgins. Other significant early-medieval remains are the fifth-or sixth-century memorial to Vinnemaglus, son of Senemaglus, one of four upright stones in a line in the churchyard at Gwytherin, and the two broadly contemporary standing stones once positioned on Bryn y Beddau (Hill of the Graves) in Clocaenog Forest, which were described at the end of the seventeenth century. One of the latter stones, with a commemorative inscription to Similinus Tovisaci, is now in Amgueddfa Cymru-National Museum Wales (Edwards 1991). Such features suggest that people lived and worked on the fringes of the moors, and this is reinforced by the discovery in 1820, when Telford was building his road to Holyhead, of around forty long-cist graves on a hillside near Pentrefoelas (Edwards 1991).

The picture of life on Hiraethog becomes clearer after the twelfth century. There is more documentary information, not least in the finely detailed *Survey of the Honour of Denbigh* from 1334 (Vinogradoff and Morgan 1914), and there is also more archaeological and topographical material. Communities in the lowlands surrounding Hiraethog exploited the moors as a valuable resource of grazing land in the summer months, with the erection of seasonally occupied huts (*hafotai*), though this system of seasonal movement of animals and people, or transhumance, had almost certainly been in operation for many centuries before. Moorland use can be detected too in the tracks that run up onto Hiraethog from the villages below, and in the parish boundaries that were defined in the Middle Ages. The bounds of settlements such as Nantglyn and even distant villages like Llanfair Talhaiarn, Henllan near Denbigh and Llanrhaeadr in the Clwyd valley, had parishes extending into the heart of Hiraethog, for the moors provided valuable materials such as bracken and furze as well as the upland pastures. Farming expanded out of the valleys as land became less readily available there for the increasing population. Large tracts of western Hiraethog came into the ownership of the

Mae'r ffotograff hwn yn dangos amrywiol olygfeydd ar Fynydd Hiraethog: ei blanhigfeydd conwydd, ei weundir grug, ei diroedd pori a'i gronfeydd dŵr. Mae modd gweld gwrthgloddiau Hen Ddinbych yn y glaswelltir tua tu blaen y llun ac ychydig y tu hwnt iddo mae'r garnedd lwyfan (Brenig 51). Yn nes at y gronfa ddŵr mae smotyn gwyn bwthyn sydd bellach yn anghyfannedd. Gan mai Hafoty Siôn Llwyd yw'r enw arno, mae'n sefyll ar safle hafoty.

This photo reveals the various faces of Mynydd Hiraethog with its conifer plantations, heather moors, enclosed pastures and reservoirs. The earthworks of Hen Ddinbych can be seen in the grassland towards the front of the photo with the platform cairn (Brenig 51) just beyond and, closer to the reservoir, the white speck of a now abandoned cottage, which from its name – Hafoty Siôn Llwyd – is on the site of what was once a summer settlement.

Ymddiriedolaeth Archaeolegol Clwyd-Powys - Clwyd-Powys Archaeological Trust, 01-c-160, NPRNs 27278, 303472 and 409201

Daliai pobl i fyw ym Mwlch-du wrth flaen Cronfa Ddŵr Brenig ar ôl yr Ail Ryfel Byd, ac yr oedd to o rug arno o hyd. Bellach, mae'n anghyfannedd a'i do wedi'i wneud o ddefnydd mwy modern ond llai traddodiadol. Mae'n debyg mai'r un dynged fydd i hwn ag i gynifer o fythynnod eraill yr uwchdiroedd.

Bwlch-du at the head of the Brenig Reservoir was still occupied after the Second World War and retained its heather-thatched roof. Now deserted, and its roof composed of more modern but less traditional material, it seems likely to go the way of so many other upland cottages.

CBHC - RCAHMW, DS2008_243_003 & DI2009_1038, NPRN 26899

ymhellach tua'r dwyrain, oedd Parc Clocaenog, ond wyddom ni ddim union ddyddiad ei sefydlu. Cynhwysai'r parc ryw 800 o hectarau, ac mewn mannau mae ei derfynau'n dal i oroesi ar ffurf gwrthglawdd, a'r dehongliad o wrthglawdd ar frig bryn ym Mhincyn Llys yn nwyrain y parc yw mai safle hela canoloesol sydd yno (Berry, 1994).

Yn sicr, prinhau wnaeth y boblogaeth yn sgil y dirywiad yn yr hinsawdd yn nechrau'r bedwaredd ganrif ar ddeg a'r pla o 1348 ymlaen, ond erbyn yr unfed ganrif ar bymtheg gwelwyd datblygu ffermydd ar dir uchel unwaith eto. Prin yw'r adeiladau sy'n weddill o'r oes honno, ond efallai fod Waen Ganol, sydd bellach yng nghanol Coedwig Clocaenog, wedi goroesi ohoni. Daliwyd i bori'n dymhorol. Wrth i goed brinhau, dechreuodd llawer o gymunedau cyrion y gweundir fynd i Hiraethog i dorri mawn.

Mae Hiraethog yn anarferol ymhlith uwchdiroedd Cymru am na fu yno na mwynglawdd na chwarel

Cistercian monks of Aberconwy Abbey, which lay on the coastal plain to the north. Further east Clocaenog Park was undoubtedly a medieval hunting reserve, though the date when it was established is unknown. Covering about 800 hectares, the park's boundary still survives in places as an earthwork, and an earthwork on the crest of the hill at Pincyn Llys in the eastern part of the park has been interpreted as the site of a medieval hunting lodge (Berry 1994).

The deteriorating climate in the early fourteenth century and plague from 1348 onwards undoubtedly had a detrimental effect on population levels but, by the sixteenth century, farms were again developing on higher ground. Few buildings remain from this age, though Waen Ganol, now surrounded by Clocaenog Forest, may be one survivor. Seasonal grazing continued and, as sources of wood diminished, Hiraethog provided

fawr yn y ddeunawfed ganrif na'r ganrif ddilynol, ac nid oes yr un anheddiad mwyngloddio yno heddiw. Ond i'r boblogaeth gynyddol a hithau, yn aml, heb dir, bu'r gweundir yn gyfle i godi tyddynnod. Ar y 'tir gwastraff' a oedd heb ei gau, aeth rhai pobl ati'n llechwraidd i godi bythynnod a thrin darnau bach o dir o'u hamgylch. Goroesodd rhai o'r tai unnos hynny a ffynnu, ond rhoddwyd y gorau i eraill neu eu dinistrio bron mor gyflym ag y'u codwyd. Tua'r un pryd ac, yn aml, o ganlyniad i Ddeddf Seneddol, caewyd blociau o weundir agored o amgylch ymylon Hiraethog.

Tua diwedd y bedwaredd ganrif ar bymtheg dyma berchnogion yr ystadau mawr yn troi peth o'r gweundir ledled Hiraethog yn dir i fagu grugieir arno i'w saethu. Y peth amlycaf sy'n dwyn hynny i gof yw adfeilion y tŷ saethu o'r enw 'Gwylfa Hiraethog' ond elfen arall, lai amlwg o lawer, yw'r llu o fannau saethu ar hyd a lled y gweundir.

Dechreuwyd creu planhigfeydd coed ar ymylon dwyreiniol Hiraethog mor gynnar â 1830. Ar Bincyn Llys uwchlaw Dyffryn Clwyd ceir obelisg sy'n coffáu creu coetiroedd newydd gan Arglwydd Bagot.

Ar ôl cwympo'r coed hynny tuag adeg y Rhyfel Byd Cyntaf, cafodd tabled ac arno arysgrif a gynlluniwyd gan yr artist Eric Gill (1882–1940) ei ychwanegu at yr obelisg i nodi creu planhigfeydd newydd gan y Comisiwn Coedwigaeth. Ffrwyth gweithgareddau'r Comisiwn yw Coedwig Clocaenog, un o'r darnau helaethaf o blanhigfeydd conwydd yng Nghymru. Yn yr ugeinfed ganrif, hefyd, trawsffurfiwyd Hiraethog yn wlad o gronfeydd sy'n cyflenwi dŵr i ogledd Cymru a gogledd-orllewin Lloegr.

peat as fuel for many communities around the edge of the moors.

Unusually among Welsh uplands, Hiraethog did not attract mining or quarrying on a large scale in the eighteenth and nineteenth centuries, and there are no mining settlements. Nevertheless, for a growing and often landless population the moors provided an opportunity to create new smallholdings. Cottages with small plots of ground surrounding them were illicitly carved out of the unenclosed 'waste', some surviving and thriving, others abandoned or destroyed almost as quickly as they appeared. Around the moorland fringes the enclosure of blocks of open moorland occurred at about the same time, often as a result of an Act of Parliament.

In the later nineteenth century some of the moorlands were put to a different use, with the owners of large shooting estates establishing grouse moors across Hiraethog. The most prominent reminder of this is the ruined shooting lodge known as Gwylfa Hiraethog, while much less obvious are the many shooting butts scattered across the moorlands.

As early as 1830 woodland plantations began to appear on the eastern margins of Hiraethog. On Pincyn Llys, overlooking the Vale of Clwyd, is an obelisk commemorating the creation of new woodlands by Lord Bagot. After their felling, around the time of the First World War, a tablet bearing an inscription designed by the artist Eric Gill (1882–1940) was added to the obelisk to mark the new forestry plantations being introduced by the Forestry Commission. The result of the Commission's activities is Clocaenog Forest, one of the largest tracts of conifer plantations in Wales. The twentieth century also witnessed Hiraethog transformed into a land of reservoirs providing water to north Wales and the north-west of England.

Cododd yr Arglwydd Bagot obelisg ar Bincyn Llys yn y 1830au i goffáu creu'r planhigfeydd coed cyntaf ar Hiraethog. Ar ôl y Rhyfel Byd Cyntaf yr ychwanegwyd y dabled ac arno arysgrif gan Eric Gill (gweler tudalen 82).

To commemorate the first woodland plantations on the Denbigh Moors, Lord Bagot erected an obelisk on Pincyn Llys in the 1830s. The tablet with an inscription by Eric Gill was added after the First World War (see page 82).

CBHC - RCAHMW, DS2008_249-001, NPRN 32679

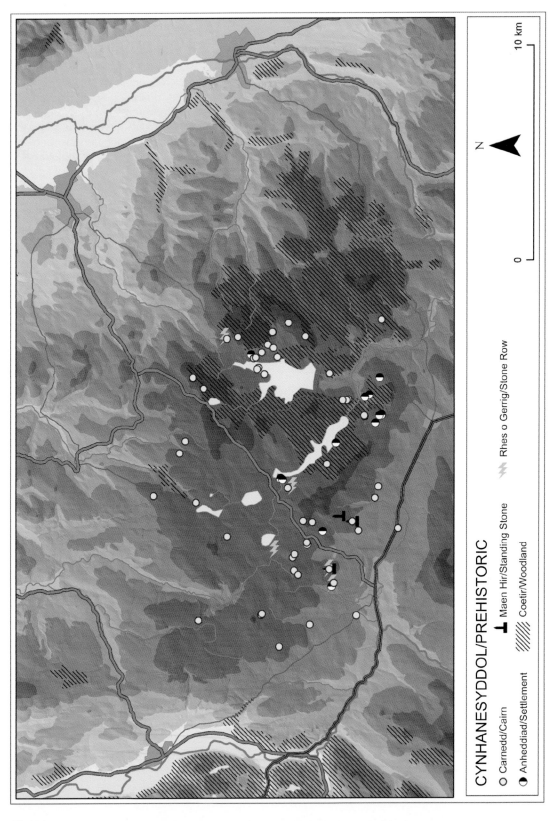

CYNHANESYDDOL/PREHISTORIC

○ Carnedd/Cairn

◑ Anheddiad/Settlement

⌐ Maen Hir/Standing Stone

⚡ Rhes o Gerrig/Stone Row

///// Coetir/Woodland

N

0   10 km

Map sy'n dangos safleoedd cynhanesyddol

Map showing prehistoric sites

Claddedigaethau a Defodau Cynhanesyddol

Claddu'r meirwon a'r defodau a gysylltid â'r claddedigaethau hynny sydd wedi gadael yr ôl cynhanesyddol amlycaf ar dirwedd Hiraethog. Efallai mai'r nodwedd hynaf yw carnedd hir ar Faen Pebyll ger Nebo, allan ar ymyl orllewinol y gweundir. Tybir iddo ddyddio o'r Oes Neolithig. Erbyn hyn, does yno ond amlinelliad twmpath hirsgwar rhyw 35 metr o hyd, ac efallai fod maen hir, sydd bellach wedi'i ddinistrio, wedi bod yn rhan o siambr gladdu gynt. Er i Ellis Davies ei gymharu ym 1929 â'r garnedd hir sydd wedi'i diogelu'n well o lawer yng Nghapel Garmon ym mlaen dyffryn Conwy, does dim cloddio wedi bod yma ac mae archaeolegwyr yn dal i fod yn ansicr, felly, ynghylch dilysrwydd Maen Pebyll (Lynch 1969).

Bu astudio manylach ar nodweddion o oes gynhanesyddol ddiweddarach, a hynny'n aml am fod grwpiau pendant ohonynt i'w cael. Daeth Hiraethog i ganol y llwyfan archaeolegol ddechrau'r 1970au pan fu timau cloddio'n archwilio amrywiol garneddau claddu o'r Oes Efydd cyn i ddyffryn Brenig gael ei foddi dan gronfa ddŵr newydd (Lynch, 1993). Dyma'r unig fynwent o grugiau gwasgaredig yng Nghymru sydd wedi'i chloddio'n llawn, ac o'r adroddiad arni y cawn ni lawer o'n gwybodaeth am Hiraethog yn y cyfnod cynhanesyddol. Mae'r twmpathau'n adlewyrchu tirwedd seremonïol hynod a fu ar waith rhwng tua 2100 a 1500 CC ar hyd un o'r prif ddyffrynnoedd sy'n ymestyn i'r gweundir. O amgylch blaen y dyffryn yr oedd sawl grŵp o garneddau o wahanol fathau, gan gynnwys carnedd ymylfaen, carnedd gylchog a charnedd lwyfan anarferol, a phob un â chladdedigaeth – claddedigaeth unigolyn pwysig, mae'n debyg – yn ei ganol. Yr oedd sawl carnedd arall yn cynnwys cylch o byst pren a godwyd cyn codi'r twmpathau. Un yn unig o'r carneddau a ddaliodd i fod yn fynwent ac yn un â llu o gladdedigaethau ynddi. Ond ni chynhwysai carnedd arall, ar Dir Mostyn, yr un gladdedigaeth o gwbl. Fe'i galwyd yn garnedd 'farcio' ac fe'i codwyd ar fwlch drwy'r bryniau rhwng y tiroedd is o amgylch Nantglyn a dyffryn afon Brenig, sef y

Prehistoric Burial and Ritual

It is the burial of the dead and the rituals associated with those burials that have left the most visible prehistoric imprint on Hiraethog's landscape. The oldest feature may be a long cairn of presumed Neolithic date on Maen Pebyll near Nebo, out on the western edge of the moors. Now there is no more than the outline of a rectangular mound about 35 metres long, while a standing stone, now destroyed, may once have formed part of a burial chamber. Although compared by Ellis Davies in 1929 to the much better preserved long cairn of Capel Garmon, at the head of the Conwy valley, it has not been excavated and archaeologists remain uncertain about Maen Pebyll's authenticity (Lynch 1969).

Features of a later prehistoric era have been studied in more detail, often because they lie in recognisable groups. Hiraethog took a central position on the archaeological stage in the early 1970s when excavation teams examined various Bronze Age burial cairns before the Brenig valley was drowned by a new reservoir (Lynch 1993). This is still the only dispersed barrow cemetery in Wales to be completely excavated, and the report on it provides much of our information on prehistoric Hiraethog. The mounds reflect a remarkable ceremonial landscape along one of the main valleys that penetrate the moors, functioning between about 2100 and 1500 BC. Grouped around the head of the valley were several cairns of different types, including a kerb cairn, a ring cairn and an unusual platform cairn, each with a single burial at its centre, presumably for an important individual. Several more cairns included rings of wooden posts erected before the mounds were thrown up. Only one of the cairns continued in use as a cemetery, having multiple burials in it. However, another cairn, on Tir Mostyn, contained no burials at all – it has been termed a 'marker' cairn and was set on a pass through the hills between the lower lands around Nantglyn and the valley of the Brenig, which gave access to the south. Radiocarbon dates reveal that this was several centuries earlier than

Gerllaw Cronfa Ddŵr Brenig mae carnedd gylch a adluniwyd (Brenig 44). Yn yr Oes Efydd, canolfan i weithgarwch defodol, yn hytrach nag angladdol, oedd hi. Pyst modern sy'n dangos lle'r arferai cylch coed sefyll. Y tu hwnt i'r garnedd gylch mae tomen gladdu, a chloddiwyd y naill a'r llall ohonynt ym 1973 cyn boddi'r dyffryn.

Beside the Brenig Reservoir is a reconstructed ring cairn (Brenig 44), which was a centre for ritual rather than funerary activity in the Bronze Age. Modern posts mark where there was once a timber circle. Beyond the ring cairn is a burial mound, also shown on page 7. Both were excavated in 1973 before the valley was flooded.

CBHC - RCAHMW, DS2008_224_001, NPRN 303462

ffordd tua'r de. Mae'r dyddiadau radiocarbon yn dangos i hynny ddigwydd rai canrifoedd cyn codi'r carneddau eraill a gloddiwyd. Y dehongliad o dwmpathau Brenig fel grŵp yw eu bod yn waith un gymuned ac iddynt gael eu codi dros bum can mlynedd, efallai, a thros genedlaethau lawer. Trigai'r bobl hynny ymhellach i lawr y dyffryn ac fe gladdent eu meirwon mewn mannau amlwg. Mae cymhlethdod rhai o'r henebion yn awgrymu arferion defodol neu seremonïol cymhleth.

Mae'n debyg mai grŵp Dyffryn Brenig o

the other excavated cairns. The Brenig mounds as a group have been interpreted as the work of a single community, spread across perhaps five hundred years and many generations. These were people who lived further down the valley and buried their dead in prominent places. The complexity of some of the monuments implies elaborate ritual or ceremonial practices.

The Brenig Valley group of burial mounds was probably the largest on Hiraethog, and they are without doubt the best known, but smaller groups

domenni claddu oedd yr un mwyaf ar Hiraethog. Hwnnw, yn sicr, yw'r un mwyaf hysbys, ond gellir cael hyd i grwpiau llai o faint ac ambell heneb gladdu ar y gweundir. Nodweddiadol o lawer safle claddu cynhanesyddol yw crug Boncyn Crwn, crug y gallwch chi ei gyrraedd yn hwylus ar ochr ogleddol y gweundir gerllaw'r ffordd fach a ddynodwyd yn llwybr cyhoeddus Taith Clwyd. Fe'i codwyd mewn man sydd i'w weld o bellter mawr, ac efallai i'r gefnen y saif arni fod yn ffin rhwng tiriogaethau gwahanol gymunedau yn yr Oes Efydd. Mae'n grug o gryn faint, yn 20 metr o ddiamedr a thros 2.5 metr o uchder, ond fel cynifer o rai tebyg mae'r pant ar ei frig yn awgrymu i hynafiaethwyr cynnar ac eraill dyllu iddo i geisio gweld ei gynnwys. Mae

and isolated burial monuments can be recognised on the moors. The Boncyn Crwn barrow, readily accessible on the northern side of the moors beside the minor road designated as the Clwydian Way national trail, is typical of many prehistoric burial sites. It was positioned in a prominent spot visible over long distances, and the ridge that it occupies may have formed a territorial boundary between Bronze Age communities. It is of considerable size, 20 metres in diameter and over 2.5 metres high, but like so many others of its kind, the hollow in its top suggests that it was dug into by early antiquaries or others curious to know what it contained. Several barrows lie in two groups in prominent locations on Gorsedd Bran, an undulating ridge

Ynghanol y defaid sydd wrthi'n pori saif y garnedd lwyfan a elwir yn Frenig 51. Fe'i cloddiwyd ym 1974 ac yna fe'i hadluniwyd, gan gynnwys y garnedd hanner-cylch fach a godwyd yn erbyn ochr chwith y brif garnedd. Mae'r heneb i'w gweld yn glir o'r awyr, ond o'r gogledd-ddwyrain yn unig y mae modd ei gweld hi o bellter ar lawr gwlad.

Surrounded by grazing sheep, the platform cairn known as Brenig 51 was excavated in 1974 and then reconstructed, including the small semi-circular cairn butting up against the left side of the main cairn. The monument shows clearly from the air, but at ground level is inconspicuous from a distance except from the north-east.

CBHC - RCAHMW, 2009_1116, NPRN 409201

Crug Boncyn Crwn. Wrth ochr y lôn sy'n rhedeg i fyny o Lansannan dros gefnen i'r gweundir y mae'r enghraifft gain hon o domen gladdu o'r Oes Efydd. Gan fod y crug mor agos at y lôn, nid yw'n syndod iddo ddenu diddordeb cloddwyr yn y gorffennol, fel y dangosir gan y pant bach ar ei frig, ond does dim cofnod o'r hyn y cawsant hyd iddo.

Boncyn Crwn barrow. Lying beside the lane that runs up a ridge onto the moors from Llansannan is this fine example of a Bronze Age burial mound. Not surprisingly, in view of its proximity to the lane, it has attracted the interest of barrow diggers in the past, as is evidenced by its slightly hollowed top, but what they found is not recorded.

CBHC - RCAHMW, DS2008_240_003, NPRN 303511

sawl crug mewn dau grŵp mewn mannau amlwg ar Orsedd Brân, cefnen donnog i'r gogledd o gronfa ddŵr Brenig, a'r twmpathau'n hyd at 17 o fetrau o ddiamedr ac yn 2 fetr o uchder. Pan gloddiodd chwarelwyr i un ohonynt yn y 1860au cafwyd bod yrnau angladdol ac esgyrn llosg ynddo.

Nid yw pob un o domenni claddu Hiraethog mor amlwg nac mor fawr. Codwyd carn ar Foel Rhiwlug, er enghraifft, ar lethrau gorllewinol is y bryn ar ffurf twmpath o gerrig nad oedd yn fwy nag 8 metr ar ei

north of the Brenig reservoir, the mounds up to 17 metres in diameter and 2 metres high. One of them dug into by quarrymen in the 1860s was found to contain funerary urns and burnt bones.

Not all of Hiraethog's burial mounds are so prominently positioned, nor of such great size. A cairn on Moel Rhiwlug, for example, was constructed on the lower western slopes of the hill as a mound of stone no more than 8 metres across and less than a metre high; its central burial cist is

(Gyferbyn). Glaswellt sy'n gorchuddio'r garnedd o'r Oes Efydd ar Ben yr Orsedd, ac mae'r slabiau a osodwyd i ffurfio'r gistfaen gladdu ganolog yn codi uwchlaw'r twmpath isel. Eryri sydd i'w gweld yn y pellter.

(Opposite). Grass covers the Bronze Age cairn on Pen yr Orsedd, with the slabs that were positioned to form the central burial cist rising above the low mound. Snowdonia provides a distant backdrop.

CBHC - RCAHMW, DS2008_ 236_002, NPRN 303327

draws ac yn llai na metr o uchder. Er bod modd gweld ei chistfaen claddu ganolog, mae'r cynnwys fel petai wedi diflannu. Ar lethrau deheuol Bron Alarch cewch chi ddwy garnedd gylchog a rhyw 90 metr rhyngddynt, ac i'r de-ddwyrain o Foel Seisiog mae twmpath bach sydd â cherrig wedi'u gosod yn y tir o'i amgylch. Fe'i gelwir yn 'garnedd ymylfaen'. Nid yw'n fwy na 5 metr ar ei draws ac mae'n llai na 0.5 metr o uchder, ac yma eto ceir arwyddion bod cistfaen yn y twmpath.

Ar wasgar ar draws llethrau deheuol Hiraethog cewch chi garneddau bach ac ambell faen hir. Efallai i rai ohonynt gael eu codi yn yr Oes Efydd ond, heb fynd i gloddio yno mewn mannau fel hyn, bydd hi'n aml yn anodd gwahaniaethu rhwng carneddau claddu a charneddau clirio cerrig, neu rhwng meini hir cynhanesyddol a meini llawer diweddarach a godwyd i ddynodi terfynau. Ychydig i'r gogledd o Bentrefoelas, yn Ffridd Cân Awen, yn y caeau amgaeedig sy'n codi'n raddol tua Chefnen Wen, mae heneb ryfedd, sef set o'r hyn a elwir yn 'rhesi o feini': rhyw 450 o gerrig mân sydd, gan amlaf, heb fod yn codi mwy na 0.1 metr o'r tir ac wedi'u gosod mewn rhesi afreolaidd dros bron i gan metr sgwâr o dir. Er bod eu hunion ddiben yn ddirgelwch o hyd, mae'n debyg mai swyddogaeth ddefodol oedd iddynt. Pan gloddiwyd yno ym 1884, cafwyd bod tair cistfaen yn cynnwys claddedigaethau a oedd heb eu gorchuddio, ond erbyn hyn nid ydynt ond yn bantiau bas yn y tir. Mae cymhlyg tebyg arall ryw 700 metr tua'r dwyrain. Disgrifir rhesi cerrig Hafod-y-dre ar y dudalen gyferbyn.

Mae hi wedi bod bron yn amhosibl dod o hyd i ddim i'w gymharu â'r heneb hon yng Nghymru ac, yn drist ddigon, ychydig iawn sy'n goroesi o safle tebyg yn Ffridd Cân Awen ger Hafod y Garreg rhyw 700m i'r de-orllewin o Hafod-y-dre. Gan mai'r duedd yw i'r mwyafrif o resi o gerrig yng Nghymru fod yn llinellau unigol o lai na dwsin o gerrig, rhaid i ni droi at fannau y tu allan i Gymru – fel Dartmoor – i ddod o hyd i enghreifftiau da o resi cyfochrog cyffelyb. Credir eu bod yn perthyn i'r Oes Neolithig Ddiweddar a dechrau'r Oes Efydd, a hwy yw rhai o'r henebion mwyaf dyrys o'r oes gynhanesyddol yn yr ynysoedd hyn. Mae'r ffaith fod y cerrig a'r garnedd yn Hafod-y-dre yn ymyl ei gilydd, a bod perthynas rhyngddynt, mae'n debyg, yn awgrymu mai rhyw swyddogaeth ddefodol oedd i'r heneb hon.

visible, but the contents appear to have been removed. The southern slopes of Bron Alarch display two ring cairns, about 90 metres apart, while south-east of Moel Seisiog is a small mound edged by stones set in the ground, classified as a kerb cairn. It is no more than 5 metres across and has a height of less than 0.5 metres, and again there are signs of a cist within the mound.

Scattered across the southern ridges of Hiraethog are small cairns and occasional standing stones. Some of them may have Bronze Age origins, though without excavation it is often difficult to distinguish burial cairns from stone clearance cairns, or to tell prehistoric standing stones from much later boundary markers. Just north of Pentrefoelas, at Ffridd Can Awen, within the enclosed fields that rise gently towards Cefnen Wen, is a curious monument consisting of a set of what are known as 'stone rows': about 450 small stones protruding generally no more than 0.1 metre from the ground and set in irregular rows over an area nearly a hundred metres square. Their precise purpose remains a mystery, though a ritual function seems likely. Excavations here in 1884 uncovered burials in three cists but these are now visible only as shallow depressions in the ground. Another similar complex, the Hafod-y-dre stone rows, described in more detail on the opposite page, lies about 700 metres to the east.

Finding comparisons for these monuments within Wales has been virtually impossible, and sadly very little survives of a comparable site, some 700 metres to the south-west of Hafod-y-dre at Ffridd Can Awen near Hafod y Garreg. In Wales, the majority of stone rows tend to comprise single lines of less than a dozen stones and so we have to look to places outside Wales, such as Dartmoor, to find good comparative examples of parallel rows. Thought to belong to the Late Neolithic and Early Bronze Age, these are some of the most thought-provoking monuments of the prehistoric era in our islands. The close proximity and apparent relationship between the stones and cairn at Hafod-y-dre suggests the monument may have performed some ritual function.

HAFOD-Y-DRE

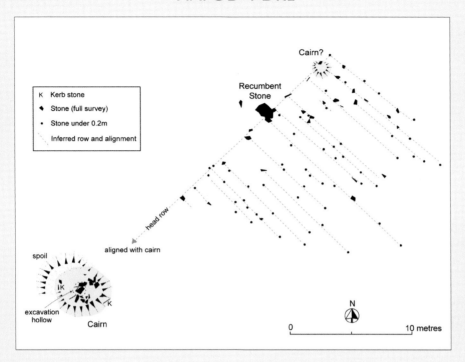

Rhesi cerrig Hafod-y-dre yw un o'r henebion mwyaf anarferol, nid yn unig ym mro Hiraethog ond yng Nghymru gyfan. Ar y safle mae 18 rhes o gerrig yn rhedeg o'r gogledd-orllewin i'r de-ddwyrain dros 17 o fetrau sgwâr o dir. Rhedant o res pen o gerrig sydd ychydig yn fwy o faint, gan gynnwys un sy'n gorwedd ar wastad ei chefn, ac ar yr un llinell â charnedd 8.8m i'r de-orllewin ohonynt. Prin bod modd gweld yr heneb o bell am nad yw'r mwyafrif o'r cerrig ynddi'n codi mwy na 5 centimetr uwchlaw'r tir ac nad ydynt yn fwy nag 20 centimetr o hyd. Cofnodwyd rhyw 87 o gerrig yn 2008, ond mae'n debyg iawn bod llawer rhagor ohonynt o dan wyneb y tir. Nodwyd 130 o gerrig gan yr Arolwg Ordnans ddeg mlynedd ar hugain yn ôl.

Cafwyd hyd i'r heneb gan fugail ym 1884 gan i haen denau o eira amlygu'r cerrig. Yn fuan wedyn, aeth y Parch. Owen Jones, ficer Pentrefoelas ar y pryd, a Mr A.H.A. Cocks o Great Marlow ati i archwilio'r garnedd a'r rhesi cerrig a chloddio rhywfaint arnynt. Gwaetha'r modd, chawson nhw hyd i ddim.

The Hafod-y-dre stone rows are one of the most unusual monuments not only within the Hiraethog landscape, but in Wales as a whole. The site comprises 18 stone rows that run on a north-west to south-east alignment, covering an area of 17 square metres. The rows run from a head row of slightly larger stones, including one that is recumbent, which line up with a cairn 8.8 metres to the south-west. The monument is virtually invisible from a distance, as the majority of stones protrude no more than 5 centimetres above the ground and are less than 20 centimetres in length. Some eighty seven stones were recorded in 2008, but it is highly likely that many more lie below the surface; 130 stones had been noted by the Ordnance Survey, thirty years ago.

The monument was discovered by a shepherd in 1884, when a light fall of snow caused the stones to become clearly highlighted. Soon after, both the cairn and stone rows were examined and partially excavated by the Rev. Owen Jones, then vicar of Pentrefoelas and Mr A. H. A. Cocks of Great Marlow; unfortunately no finds were recovered.

Anheddu ac Amaethu Cynhanesyddol

Prehistoric Settlement and Farming

Os oes thema gyson i hanes Hiraethog, y thema honno yw bod to ar ôl to o ffermwyr wedi defnyddio'r gweundir. Weithiau, gwnaent hynny ar hyd y flwyddyn ond, yn amlach na hynny, yn ystod misoedd yr haf yn unig. Er bod y dystiolaeth a gawn ni o ffynonellau ysgrifenedig, o'r archaeoleg neu o enwau lleoedd, ynghylch pa mor barhaol yr oedd yr amaethu a'r anheddu cysylltiedig yn aml yn niwlog, mae modd cynnig rhai tybiaethau rhesymol.

Er ei bod hi'n aml yn anodd dehongli'r olion materol, ceir tystiolaeth archaeolegol fod anheddu wedi digwydd yma yn yr oesoedd cynhanesyddol cynnar. Pan ostyngodd lefelau'r dŵr yn y cronfeydd dŵr yn ystod sychder 1974 a 1989 a dinoethi'r tir o dan Aled Isaf, cafwyd hyd i ddarnau callestr cynhanesyddol, a'r rheiny wedi'u hogi. Gan fod y darnau'n dod yn bennaf o'r Oes Fesolithig, yr awgrym yw i grwpiau hela weithio'u ffordd ar hyd dyffryn Aled, lle nad oedd mwy na mwy o goed, a gwersylla yno. Awgryma'r tyllau pyst y cafwyd hyd iddynt i gysgodfannau gael eu codi yno dros dro, ac awgryma darnau o olion llosgi y bu aelwydydd yno. Gall presenoldeb rhai darnau o gallestr a charneddau bach o gerrig o'r Oes Efydd awgrymu bod anheddu ac amaethu wedi digwydd yno'n ddiweddarach (Brassil, 1989). Cafodd y darlun a grëwyd gan y darganfyddiadau wrth-fynd-heibio hynny ei gyfnerthu pan ddadlennodd gwaith cloddio yn ymyl un o grugiau Brenig ym 1973 aelwydydd olynol neu danau a osodwyd mewn twll ar ffurf tebyg i fowlen. Ar ôl defnyddio'r tân, câi haen o bridd glân ei rhoi drosto tan i'r twll fod yn llawn, ac yna fe gloddid twll newydd. Dyddiwyd cynnwys y twll i'r seithfed mileniwm CC. Cafwyd olion hefyd o'r hyn a allai fod yn baredau a godwyd dros dro i gysgodi pobl rhag y gwynt (Lynch, 1993). Rhaid bod grwpiau Mesolithig wedi crwydro'n helaeth ar draws Hiraethog a hynny, efallai, ym misoedd yr haf. Gan mai'n anaml y ceir hyd i dystiolaeth fel hon, mae'n eithaf posibl bod y gweithgarwch a ddadlennwyd yn nyffrynnoedd Aled a Brenig wedi digwydd ledled Hiraethog. Er y cynrychiolir yr Oes Efydd yn

If there is a single continuous theme that runs through the history of Hiraethog it is that these moorlands have been used by many generations of farmers – sometimes all the year round, but more often during the summer months only. The evidence, whether from written sources, archaeology or place-names, is frequently opaque as to the permanence of farming and its accompanying settlement, but it is possible to make some reasoned assumptions.

Although the material remains are often difficult to interpret, there is archaeological evidence of settlement in early prehistoric times. When water levels dropped in the reservoirs during the droughts of 1974 and 1989 prehistoric worked flints were found on the scoured ground surfaces exposed beneath Aled Isaf. Mostly of Mesolithic date, the flints suggest that hunting parties worked their way along the lightly wooded Aled valley and camped there. The discovery of postholes suggests the erection of temporary shelters and patches of burning appear to be from hearths. The presence of some Bronze Age flints and small stone cairns may point to later settlement and farming (Brassil 1989). The picture from these incidental discoveries was reinforced by excavations close to one of the Brenig barrows in 1973, which uncovered successive hearths or fires set in a bowl-shaped pit, each fire masked after use by a layer of clean soil until the pit was full, when a new one was dug. The pit contents were dated to the seventh millennium BC. There were also traces of what may have been temporary windbreaks (Lynch 1993). Mesolithic groups must have ranged widely over Hiraethog, perhaps in the summer months. Scarce evidence such as this rarely comes to light, so it is quite possible that the activity revealed in the Aled and Brenig valleys was representative of the whole area. The Bronze Age is well represented by burial sites on the moors dating to the second millennium BC. However, the settlements of those who built the cairns, or were buried in them (whatever their social status), are far less detectable.

Grŵp bach o fflintiau y cafwyd hyd iddynt pan archwiliwyd gwely sych cronfa ddŵr Aled Isaf rai blynyddoedd yn ôl. Mae'n debyg mai yn yr Oes Fesolithig y gwnaed llawer ohonynt. Oherwydd ei liw arbennig yr oedd helwyr-gasglwyr wedi dod o hyd i'r defnydd crai mewn cerrig traeth a adawyd gan haenau iâ rhewlifoedd y gorffennol. Er hynny, gall ambell un fod wedi'i gynhyrchu'n ddiweddarach.

A small group of the flints found when the dried-up bed of Aled Isaf reservoir was examined some years ago. Many of these are probably Mesolithic in date, the distinctively coloured raw material fashioned by the hunter-gatherers from beach pebbles that had been left by ice sheets during past glaciations, but a few could be of later date.

Amgueddfa Cymru - National Museum Wales

dda gan safleoedd claddu o'r ail fileniwm CC ar y gweundir, llawer llai amlwg yw aneddiadau'r rhai a gododd y carneddau neu a gladdwyd ynddynt (beth bynnag oedd eu statws cymdeithasol).

Yn yr Oes Efydd codid tai'n bennaf o goed yn hytrach nag o gerrig, ac efallai mai'r unig elfen o'r adeilad hwnnw a fyddai'n para fyddai'r llwyfan gwastad a godwyd i gynnal y tŷ. Mae olion adeiladu'n rhagflaenu codi un o garneddau claddu Brenig ar

Bronze Age houses were constructed principally of timber rather than stone, and the only durable element of such a structure might be the level platform created to take the dwelling. Traces of occupation preceded the erection of one of the Brenig burial cairns on the upper eastern slopes of the valley: pottery, charcoal and cereal pollen all suggest domestic occupation, though there were no structural remains. However, a circular structure

Prin yw safleoedd tai cynhanesyddol ar Hiraethog a phrinnach byth yw ffotograffau ohonynt. Mae hwn, yr amlycaf o grŵp o dri ger Cronfa Ddŵr Alwen, fel petai'n llwyfan cylchog sydd ychydig yn bantiog.

Prehistoric house sites are rarely found on Hiraethog and even more rarely photographed. This, the most obvious of a group of three close to the Alwen Reservoir, appears as a slightly hollowed circular platform.

Ymddiriedolaeth Archaeolegol Clwyd-Powys - Clwyd-Powys Archaeological Trust, 04-02-29, NPRN 105675

lethrau uchaf y dyffryn: mae crochenwaith, golosg a a phaill grawn oll yn awgrymu y bu pobl yn byw yma, ond does dim ôl adeiladwaith yno. Er hynny, fe all mai tŷ oedd yr adeiladwaith cylchog o dan garnedd arall – doedd dim cerrig ynddo ond yr oedd tân yn ei ganol. Bum cilometr i'r gorllewin o Frenig cafwyd hyd yn ddiweddar i grŵp o dri llwyfan a gawsai eu codi i mewn i lethr bas uwchlaw Cronfa Ddŵr Alwen ac mae'r rheiny'n dadlennu safleoedd tai crwn cynhanesyddol a oedd rhwng 6 a 9 metr o ddiamedr. Mae darganfyddiadau eraill yn cadarnhau i gerrig gael eu defnyddio ambell waith, fel y gwelir yn achos y banc isel o rwbel a fu'n sylfaen i gwt cylchog bach, nad oedd yn fwy na 6 metr o ddiamedr, ar silff wastad llethr a wynebai'r de islaw Bwlch Gwyn, ychydig o dan 395 o fetrau uwchlaw lefel y môr. Ac ym 1912, adeg codi Cronfa Ddŵr Alwen, cafwyd hyd i gylch o gerrig unionsyth a cherrig mwy o faint bob ochr

beneath another cairn may have been a house – it was devoid of stones but had a fire at its centre. Five kilometres to the west of Brenig, a recently discovered group of three platforms set into a shallow slope above the Alwen Reservoir reveals the positions of prehistoric round houses, between 6 metres and 9 metres in diameter. Other discoveries confirm that stone was used on occasions, as is the case with the low bank of rubble that served as the foundations of a small circular hut, no more than 6 metres in diameter, on the level shelf of a south-facing slope below Bwlch Gwyn, just under 395 metres above sea level. In 1912, during the Alwen Reservoir's construction, a circle of upright stones, with larger stones to either side of its northern entrance, was uncovered just to the east of a stream. The description of what was seen at the time, recounted by a local man to Ellis Davies several years later, points to this being an early house site (Davies 1929).

Gerllaw Afon Alwen, ychydig dros filltir islaw argae Cronfa Ddŵr Brenig, mae lloc amddiffynedig Caer Ddunod. Mae'n debyg mai bryngaer fach o'r Oes Haearn yw hi. Wrth godi'r amddiffynfeydd hirgrwn manteisiwyd ar ochr serth bryncyn naturiol ac o amgylch ei frig gwastad ceir waliau cerrig mwy diweddar.

Beside the River Alwen, a little more than a mile below the dam of the Brenig Reservoir is the defended enclosure of Caer Ddunod, probably a small hillfort of Iron Age origin. Its oval perimeter defences have been fashioned from a natural hillock and more recent stone walls run around its flat top.

CBHC - RCAHMW, AP_2007_2130, NPRN 303498

i'r fynedfa ogleddol iddo ychydig i'r dwyrain o nant. Awgryma disgrifiad a roes gŵr lleol i Ellis Davies rai blynyddoedd yn ddiweddarach o'r hyn a welwyd ar y pryd mai safle tŷ cynnar oedd hwnnw (Davies, 1929).

At Pentre Llyn Cymmer, south of the Brenig and Alwen Reservoirs, an embanked enclosure known as Graig Fechan surrounds the foundations of a sub-circular hut that has been dated to the later Bronze Age (Manley 1990), about the ninth century BC.

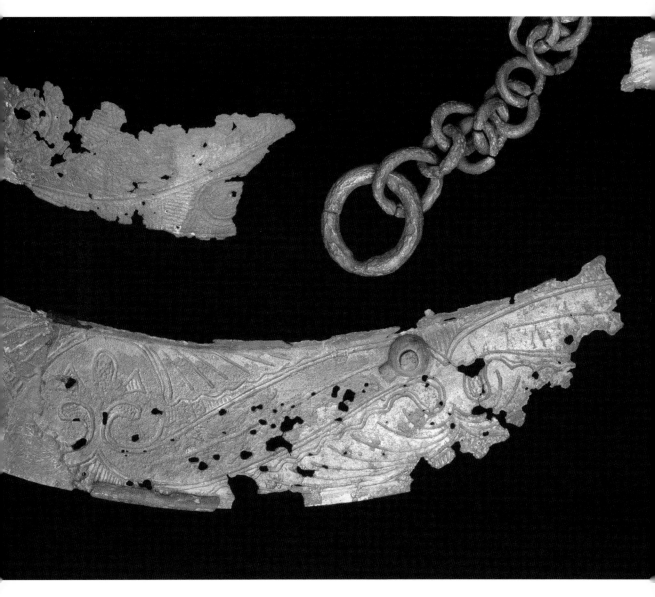

Mewn cistfaen ger Cerrigydrudion ym 1924 cafwyd hyd i ddarnau o len denau o efydd ac arni addurniadau a gawsai eu hengrafu'n gain, ynghyd â darn o gadwyn. Credid yn wreiddiol eu bod yn rhan o fowlen grogi unigryw o'r Oes Haearn Gynnar ond ar ôl i arbenigwyr yn Amgueddfa Cymru a mannau eraill astudio'r tameidiau hynny'n fanwl, credir bellach eu bod yn dod o helmed neu ddarn pen seremonïol. Mae'r adluniad ohonynt, gyferbyn, i'w weld yn yr Amgueddfa yng Nghaerdydd.

Fragments of thin bronze sheet with finely engraved decoration, together with a length of chain, were found in a cist near Cerrigydrudion in 1924. Originally thought to be parts of a unique Early Iron Age hanging bowl, these fragments have been closely studied by experts at the National Museum and elsewhere and are now thought to be from a decorated 'casque' or ceremonial headpiece. The reconstruction, opposite, is on display in Cardiff.

Amgueddfa Cymru - National Museum Wales

Ym Mhentrellyncymmer, i'r de o gronfeydd dŵr Brenig ac Alwen, mae lloc arglawdd o'r enw Graig Fechan yn amgylchynu sylfeini cwt is-gylchog sydd wedi'i ddyddio i'r Oes Efydd hwyr (Manley 1990), sef tua'r nawfed ganrif CC. Y gred yw bod olion aneddiadau eraill yn yr un fro, ar Fynydd Poeth a Ffridd Bryn-helen, yn rhai cynhanesyddol, ond nid ydynt wedi'u dyddio'n gwbl bendant eto. Mae'r 'waliau crwydrol', sef banciau cromlinol caregog, yn creu patrwm afreolaidd o gaeau bach ar Fynydd Poeth ac fel petaent wedi'u codi yn y cyfnod cynhanesyddol. Mae lloc Graig Fechan yn arbennig o ddiddorol am fod sawl clawdd cae ar y llethrau islaw ynghyd â nifer fawr o bentyrrau afreolaidd o gerrig a elwir yn faes carnedd, sef canlyniad clirio'r tir i hwyluso'i ddiwyllio. A bwrw bod y carneddau'n cyfoesi â'r lloc, mae Graig Fechan yn anheddiad cynhanesyddol ynghyd â'i dirwedd amaethu gyfoes.

Gwaetha'r modd, mae'n ddychrynllyd o anodd dyddio muriau terfyn a meysydd carnedd. Nid ildiodd un grŵp o'r fath ar ochr ddwyreiniol dyffryn Brenig – grŵp y mae rhan ohono bellach o dan ddŵr y gronfa – unrhyw dystiolaeth ddefnyddiol i'w ddyddio pan gloddiwyd pedair o'r carneddau ym 1973 (Lynch, 1993). Cafwyd hyd i eraill ar Waun Ddafad, lle mae rhyw ddeg ar hugain o bentyrrau bach o gerrig, a grŵp arall, ynghyd ag olion cyfundrefn caeau, yng nghyffiniau bras rhesi cerrig Ffridd Cân Awen.

Prin eithriadol yw olion y cyfnod olaf o anheddu ar Hiraethog yn yr oes gynhanesyddol. Does yno, i bob golwg, mo'r ceyrydd o'r Oes Haearn a'r ffermydd amddiffynedig bach sy'n nodweddu'r cyfnod hwnnw mewn mannau eraill er y gall Caer

Other settlement remains in the same area, on Mynydd Poeth and Ffridd Bryn-helen, are thought to be prehistoric but have yet to be convincingly dated. So-called 'wandering walls', curvilinear stony banks, create an irregular pattern of small fields on Mynydd Poeth which look to be of prehistoric date. The Graig Fechan enclosure is of particular interest because on the slopes below it are several field banks accompanied by large numbers of irregular stone heaps known as a cairnfield, the result of ground clearance to facilitate cultivation. Assuming the cairns are contemporary with the enclosure, Graig Fechan displays a prehistoric settlement complete with its contemporary farming landscape.

Unfortunately, boundary walls and cairnfields are notoriously difficult to date. One such group on the east side of the Brenig valley, now partly submerged by the reservoir, yielded no useful dating evidence when four of the cairns were excavated in 1973 (Lynch 1993). Others have been identified on Waen Ddafad where there are some thirty small heaps of stone, and there is a further group, together with traces of a field system, in the general area of the Ffridd Can Awen stone rows.

The last period of settlement of the prehistoric era is virtually undetectable on Hiraethog. Iron Age hillforts and the smaller defended farmsteads that characterise the period elsewhere appear to be absent, though Caer Ddunod, an enclosure on a steep-sided hillock above the River Alwen to the south of the Brenig reservoir, is a possible example; the place-name element 'caer' suggests a defensive site, though the visible earthworks comprise only a

Ddunod, lloc ar fryncyn serth uwchlaw Afon Alwen i'r de o gronfa ddŵr Brenig fod yn enghraifft; mae'r elfen *caer* yn awgrymu safle amddiffynnol, ond banc bach yn unig yw'r gwrthgloddiau sydd i'w gweld yno. Ond mae'r cwt o'r Oes Haearn, y cyfeiriwyd ato eisoes - cwt islaw adeilad diweddarach ger Nant Criafolen, nant sy'n llifo i Afon Brenig - yn dangos nad oedd Hiraethog yn gwbl anghyfannedd yn ystod canrifoedd olaf y cyfnod cynhanesyddol. Yr oedd cylch o dyllau pyst ar un adeg wedi dal coed unionsyth tŷ crwn bach nad oedd fawr mwy na 4 metr o ddiamedr. Yng nghanol yr adeilad yr oedd aelwyd a chafwyd yno ambell ddarn o grochenwaith, un ohonynt yn ddarn o gynhwysydd a gawsai ei wneud ym Mryniau Malvern yn yr ail ganrif CC (Lynch, 1993).

Daeth darganfyddiad mwy trawiadol i olau dydd ym 1924, ger fferm Tŷ Tai'n-y-foel ar ochr ogleddol Cerrigydrudion, pan aflonyddodd chwarelwyr ar gistfaen. Ynddo, yr oedd gwrthrych efydd hynod addurnedig a ddyddiai o ran olaf y bedwaredd ganrif CC. Gynt, credid mai bowlen grogi oedd ef, ond fe'i hailddehonglwyd bellach yn helmed sy'n arddangos yr addurniad cynharaf o'i fath ym Mhrydain (Jope, 2000). Mae'r darganfyddiad unigryw hwnnw i'w weld yn Amgueddfa Cymru yng Nghaerdydd. Er i archaeolegwyr o'r Amgueddfa Genedlaethol ym 1992 ddefnyddio technegau geoffisegol modern i ail-leoli'r gistfaen, methu wnaethant ond cawsant hyd i grŵp o lwyfannau is-gylchog gerllaw. Dangosodd gwaith cloddio i un o'r llwyfannau gynnal tŷ crwn cylchog a oedd yn rhyw 10 metr o ddiamedr. Fe'i diffinnid gan dyllau pyst wrth y fynedfa a rhigol cylch i ddal coed y waliau, aelwyd ganolog, a phyllau ac ynddynt olosg a thameidiau o gynwysyddion halen (a elwir yn *briquetage*). Muriau cerrig oedd i dŷ arall. Saif anheddiad Tai'n-y-foel ar ychydig o lethr uwchlaw nant fach ar gyrion y gweundir tua 330 metr uwchlaw lefel y môr. Dyma, o hyd, un o'r aneddiadau prin o'r Oes Haearn sydd wedi'u canfod yn y fro (Brassil, 1992), ond go brin mai hwnnw oedd yr unig un.

slight bank. That Hiraethog was not, however, wholly deserted in these final centuries of prehistory is revealed by the Iron Age hut, already referred to, beneath a later building beside Nant Criafolen, a tributary that leads into Afon Brenig. A ring of postholes had once held the upright timbers for a small round house, little more than 4 metres in diameter. There was a hearth in the centre of the building and a few fragments of pottery, one from a container that had been made in the Malvern Hills in the second century BC (Lynch 1993).

A more spectacular discovery came to light in 1924, close to Ty Tai'n-y-foel farm on the north side of Cerrigydrudion, when a stone-lined cist was disturbed by quarrymen. Within it was a highly decorated bronze object, dating from the later fourth century BC. Formerly thought to be a hanging bowl, this has now been reinterpreted as a helmet displaying the earliest decoration of its kind in the British Isles (Jope 2000) . This unique find is on display in the National Museum in Cardiff. In 1992 archaeologists from the National Museum were unable to relocate the cist using modern geophysical techniques but recognised a group of sub-circular platforms nearby. Excavation showed that one of these had supported a circular round house, about 10 metres in diameter. It was defined by postholes at the entrance and a ring groove for the wall timbers, a central hearth, and pits containing charcoal and fragmentary salt containers (known as briquetage). Another house was stone-walled. The Tai'n-y-foel settlement occupies gently sloping ground above a small stream on the fringe of the moorland at a height of about 330 metres above sea level. It remains one of the few Iron Age settlements to have been recognised in the region (Brassil 1992), though it is unlikely to have been alone.

Anheddu ac Amaethu yn y Cyfnod Hanesyddol

Settlement and Farming in the Historic Period

Os oedd ffermydd ar Hiraethog yn y mileniwm cyntaf OC, sef yn ystod oes y Rhufeiniaid ac ar ôl hynny, ni chafwyd hyd iddynt eto. Mae'n fwy tebyg y bu ffermydd parhaol yno o'r ddeuddegfed ganrif OC ymlaen, yn ystod yr Oesoedd Canol, ond mae'n anodd eu hadnabod hwy hefyd. Gan nad oes yno mo'r llociau a'r caeau sy'n nodweddu ffermydd canoloesol sefydledig, efallai mai esboniad rhy hawdd o'r diffyg tystiolaeth yw dadlau bod pobl wedi byw'n ddi-fwlch ers yr Oesoedd Canol yn llawer o'r ffermydd sydd yno hyd heddiw. Mae'n fwy tebygol mai'r tu hwnt i weundir Hiraethog, ar dir sydd wedi'i gau ers tro byd, y gellir dod o hyd i olion amaethu canoloesol cyson. Efallai mai fferm o'r fath yw'r lloc arglawdd a phadogau a banciau wrth ei ymyl a elwir yn Fron Bellaf, lloc sydd ychydig y tu mewn i gaeau ar ymyl ddeheuol Hiraethog islaw Mwdwl-eithin.

Defnyddiwyd darnau helaeth o weundir Hiraethog i bori anifeiliaid arnynt yn yr Oesoedd Canol. Yn ôl y *Survey of the Honour of Denbigh* (y 'Stent') yn y bedwaredd ganrif ar ddeg, gwartheg a geid amlaf yn yr arglwyddiaeth seciwlar fawr a reolai lawer o ddwyrain Hiraethog (Vinogradoff a Morgan 1914). Prin yw'r cyfeiriadau at ddefaid a dyna sy'n peri i wrthgloddiau Hen Ddinbych fod mor eithriadol o ddiddorol gan mai'r dehongliad diweddar ohonynt yw mai gweddillion gorsaf ffermio defaid ydynt (gweler tudalen 47). Eiddo'r mynachod Sistersaidd yn Abaty Aberconwy oedd darnau helaeth o'r gweundir. Mae carreg Levelinus o Bentrefoelas, sydd i'w gweld yn Amgueddfa Cymru yng Nghaerdydd, yn coffáu rhodd o dir gan Lywelyn ab Iorwerth, Llywelyn Fawr (1194–1240) i'r Abaty (Hays, 1963). Yr oedd gan Aberconwy ffermydd llaeth a elwid yn 'vaccaries', yn *Trekedewe*, sef man ar Hiraethog nad oes modd dod o hyd iddo bellach, ac yn ymyl Llyn Cymer i'r gogledd o Gerrigydrudion. Ond yr oedd y Sistersiaid yn enwog yn bennaf am eu diadelloedd o ddefaid. Yr amcangyfrif yw bod eu dwy faenor, sef y fferm ei hun a'r tir o'i chwmpas, yn estyn dros 48 o gilometrau sgwâr. Gelwid y faenor i'r gogledd

If there were farms on Hiraethog in the first millennium AD – during the era of the Roman occupation and its aftermath – they have yet to be recognised. The presence of permanent farms from the twelfth century AD onwards, during the Middle Ages, is more likely, but these too are hard to identify. It is perhaps too easy to explain this lack of evidence by arguing that many of today's farms have been continuously occupied since the medieval period – the enclosures and the fields typical of well-established medieval farmsteads are missing. It is more likely beyond the Hiraethog moors, on land that has been long enclosed, that traces of settled medieval farming may be found. An earthwork enclosure with adjoining paddocks and banks known as the Fron Bellaf settlement, lying just inside enclosed fields on the southern edge of Hiraethog below Mwdwl-eithin, may be one such farm.

Large tracts of the Hiraethog moors were used for grazing stock in the Middle Ages. According to the fourteenth-century *Survey of the Honour of Denbigh*, cattle predominated in this great secular lordship that controlled much of eastern Hiraethog (Vinogradoff and Morgan 1914). Documentary references to sheep are sparse and this is what makes the earthworks of Hen Ddinbych especially intriguing, as they have recently been interpreted as the remains of a sheep-farming station (*see* page 47). Large tracts of moorland were held by the Cistercian monks of Aberconwy Abbey. The Levelinus stone from Pentrefoelas, on display at the National Museum in Cardiff, commemorates a gift of land from Llywelyn ab Iorwerth (1194–1240) to the Abbey (Hays 1963). Aberconwy had dairy farms, known as vaccaries, at *Trekedewe*, a place on Hiraethog which cannot now be located, and at Llyn Cymer to the north of Cerrigydrudion. However, the Cistercians were famed mainly for their sheep flocks. It has been estimated that their two granges – the term is used both for the farm itself and the area in which it lay – extended over 48 square kilometres. The grange to the north of Pentrefoelas

Mae Maen Levelinus, a ddaeth yn wreiddiol o Bentrefoelas, yn cofáu rhoi tir i'r abaty Sistersaidd yn Aberconwy gan Lywelyn ab Iorwerth (Llywelyn Fawr). Bellach, mae'r maen i'w weld yn Amgueddfa Cymru yng Nghaerdydd.

The Levelinus Stone, originally from Pentrefoelas, commemorates a gift of land from Llywelyn ab Iorwerth to the Cistercian monastery at Aberconwy. The stone can now be seen in the National Museum Wales in Cardiff.

Amgueddfa Cymru - National Museum Wales

---

o Bentrefoelas yn Dir yr Abad Isa a'r tir mwy mynyddig ar hyd Afon Alwen yn Dir yr Abad Ucha. Fe honnwyd bod maenorau Aberconwy, a estynnai i mewn i Sir Gaernarfon, yn cynnal dros 7,000 o ddefaid aeddfed, ond does dim modd gwirio'r ffigur hwnnw (Hays, 1963). Does fawr o angen adeilad nac adeiladwaith ar breiddiau sy'n pori a does odid ddim o olion yr ystadau mynachaidd hynny wedi goroesi. Eto, ar sail enwau lleoedd, fe all o leiaf un o ffermydd y maenorau fod wedi'i sefydlu ychydig oddi ar lwyfandir Hiraethog, sef yng Nghernioge ger Cerrigydrudion a Phentrefoelas.

was known as Tir yr Abad Isa (the lower land of the abbot), while a more mountainous tract along the River Alwen was termed Tir yr Abad Ucha (the upper land of the abbot). Claims have been made that the Aberconwy granges, which extended into Caernarfonshire, supported over 7,000 mature sheep, though there is no way of verifying this figure (Hays 1963). Grazing flocks require little in the way of buildings or other structures and virtually no traces of these monastic estates survive, though on the evidence of place-names at least one of the grange farms may have been established just off the Hiraethog plateau, at Cernioge between Cerrigydrudion and Pentrefoelas.

HEN DDINBYCH

Cynllun Hen Ddinbych.   Plan of Hen Ddinbych.

enclosure bank and ditch

platform

platform

barn

hollow way

entrance

rock outcrop

drainage ditch

spring

fence

N

0   50 metres

Aber Llech Daniel

Un o olion y defnyddio a fu ar Hiraethog yn yr Oesoedd Canol yw'r lloc a elwir yn Hen Ddinbych. Chafodd safle'r gwrthglawdd mo'r enw hwnnw tan y bedwaredd ganrif ar bymtheg (Davies, 1929) ac enw Edward Lhuyd, prif naturiaethwr a hynafiaethydd Cymru yn yr ail ganrif ar bymtheg, arno oedd *hen dref*. Ers talwm, y gred oedd bod y safle, sydd ychydig i'r dwyrain o Gronfa Ddŵr Brenig, yn rhan o ystâd Esgob Bangor yn Llanrhaeadr yn Nyffryn Clwyd, a gelwid tiroedd pori Hiraethog yn yr haf yn *Bysshopeswall*. Erbyn 1334 yr oedd Bysshopeswall yn rhan annatod o arglwyddiaeth Dinbych a dywedir yn y Stent y gallai ei 1,127 o erwau gynnal 8 tarw a 192 o fuchod ar hyd y flwyddyn (Vinogradoff a Morgan, 1914). Ond nid golwg beudy sydd ar Hen Ddinbych. Efallai, yn hytrach, mai defaid a gedwid yno. Yn hanner deheuol y lloc petryal cewch sylfeini adeilad hir sydd â'i du mewn yn 32 o fetrau o hyd ond yn 4 metr yn unig o led, ac yn yr hanner gogleddol ceir mân olion adeiladwaith tebyg arall. Mae olion yr adeiladau hynny'n cynnwys elfennau sy'n debyg i'r corlannau a ddefnyddid yn y Cotswolds i gysgodi defaid

The enclosure known as Hen Ddinbych is a relic of the exploitation of Hiraethog in the Middle Ages. The name was applied to the earthwork site only in the nineteenth century (Davies 1929) and Edward Lhuyd, Wales' foremost natural historian and antiquary in the seventeenth century, simply called it 'hen dref' (old settlement). The site, just east of the Brenig Reservoir, has long been considered a part of the Bishop of Bangor's estate at Llanrhaeadr in the Vale of Clwyd, whose summer pastures of Hiraethog came to be known as Bysshopeswall. By 1334 Bysshopeswall was an integral part of the lordship of Denbigh and it was stated in the Survey that its 1,127 acres could support eight bulls and 192 cows throughout the year (Vinogradoff and Morgan 1914). Hen Ddinbych does not have the appearance of a vaccary however, and instead it may have housed sheep. The rectangular enclosure contains, within its southern half, the foundations of an elongated building, internally 32 metres long but only 4 metres wide, and the northern half has the vague traces of a

ynddynt. Mae'n fwy na thebyg i lwyfan gwrthglawdd a oedd yn erbyn banc gorllewinol y lloc gynnal tŷ lle byddai'r bugeiliaid yn byw, ond ni chafwyd esboniad eto o'r pant mawr rhwng dau dŷ'r defaid. Mae cynllun Hen Ddinbych yn dangos ei fod yn gorwedd o fewn grŵp o wrthgloddiau cymhleth, a rhai ohonynt efallai'n derasau amaethu a all fod yn olion cyfnod cynharach o weithgarwch ar y safle.

second similar structure. These building remains have similarities to the sheepcotes of the Cotswolds, which were used for sheltering sheep. An earthwork platform backing against the western enclosure bank probably supported a house to accommodate the shepherds, but the large depression between the two sheep houses has yet to be explained. The plan of Hen Ddinbych reveals how it lies within a group of complex earthworks, some of them perhaps cultivation terraces, which may be the remains of an earlier phase of activity on the site.

Saif gwrthglawdd canoloesol petryal Hen Ddinbych yn y canol yn nhu blaen yr awyrlun hwn, ac mae un o'i ddwy gorlan hir i'w gweld y tu mewn iddo. Wrth ei ochr mae lloc trapesoid arall, a all fod wedi cael ei ddefnyddio'r un pryd, ac o un cornel ohono mae terfyn yn rhedeg i lawr ar dro tua'r nant. Mae'r garnedd lwyfan a adluniwyd, Brenig 51, i'w gweld yn glir tua brig y llun. Llai amlwg yw'r garnedd gylch, Brenig 8, ychydig uwchlaw'r banc terfyn. Golwg o'r dwyrain.

The rectangular medieval earthwork of Hen Ddinbych occupies the centre foreground of the aerial photograph, with one of its two long sheephouses visible in the interior. Another, trapezoidal enclosure, which may have been in use at the same time, lies beside it and from one corner of this a curving boundary runs down towards the stream. The reconstructed platform cairn, Brenig 51, shows plainly towards the top of the photograph. Less obvious is the ring cairn, Brenig 8, just above the boundary bank. Seen from the east.

CBHC - RCAHMW, AP_ 2009_1110, NPRN 303472

Efallai i anifeiliaid gael eu rhoi i bori ar Hiraethog ym misoedd yr haf mor ddiweddar â'r ddeunawfed ganrif, nid yn unig gan arglwyddi a mynachod ond hefyd gan ffermwyr o'r cymunedau lleol. Y traddodiad oedd symud anifeiliaid o'r aneddiadau parhaol a swatiai yn y dyffrynnoedd i fyny i'r gweundir ddechrau Mai, a'u gadael yno tan ddiwedd Hydref. Dyddiad arferol dod â hwy'n ôl oddi yno oedd Diwrnod yr Holl Saint (1 Tachwedd). Gall y term *hafod* gyfeirio at diroedd pori'r haf ac at anheddau'r rhai a ofalai am yr anifeiliaid yn ystod y misoedd hynny. Yn y Stent cyfeiriwyd at Hafod-lom, sydd bellach o dan ddyfroedd cronfa ddŵr Brenig, fel *Havothlum*, a *Hafod Elwe* oedd Hafod Elwy yn nyffryn Alwen, hafod 650 o erwau o ucheldir agored lle gallai 180 o anifeiliaid bori. Ddau gan mlynedd yn ddiweddarach, ym 1537, cyfeiriodd dogfen llys at 'a messuage and lands called the friths of Havott Elway'. Gan fod yno dri 'messuage' neu dair preswylfa o'r fath erbyn 1551, yr awgrym yw i dir pori yr haf gael ei drawsffurfio erbyn hynny'n ddaliadau ffermydd a bod pobl yn byw yno'n barhaol.

Nid eithriad mo Hafod Elwy. Ar fap modern o Hiraethog gwelir *hafod* yn fynych yn elfen yn enwau'r ffermydd o amgylch ymylon y gweundir. Enwau personol sydd i rai hafotai fel Hafod Caradoc a Hafod-Gilbert ac mae eraill, fel Hafod-y-cefn neu Hafodyronnen, wedi'u cysylltu â'u lleoliad neu â'r llystyfiant yno. Er y gall ambell un fod yn greadigaeth gymharol fodern, gellir tybio i lawer o'r ffermydd fod yn hafotai, i gychwyn, pan oedd y gweundir agored yn ymledu dros diriogaeth helaethach nag a wna heddiw. Yn ddiweddarach, trowyd yr hafotai hynny'n ffermydd parhaol wrth i'w perchnogion gau a thrin tiroedd ymhellach i'r bryniau, sef rhwng 300 a 400 metr uwchlaw lefel y môr, gan ddewis mannau a oedd efallai'n cynnig cysgod neu gyflenwad dibynadwy o ddŵr. Mae hynny i'w weld mewn ffermydd fel Hafod Dafydd ac, yn enwedig, ym Mhant-y-fotty lle mae caeau'n ymwthio i'r gweundir agored.

Nid y ffermydd a ddefnyddir heddiw yw'r unig arwydd o'r defnyddio tymhorol a fu ar yr uwchdiroedd. Ar wasgar ar draws de'r gweundir cewch chi sylfeini adeiladau petryal bach. Weithiau, fydd eu waliau o rwbel carreg sych neu glogfeini'n ddim mwy na chwrs neu ddau o uchder, ac ambell waith bydd glaswellt dros y cyfan. Cynhaliai'r sylfeini hynny waliau o dywyrch neu goed a thoeon gwellt ar

Perhaps as late as the eighteenth century, stock was pastured on Hiraethog in the summer months, not just by lords and monks but also by farmers from local communities. Traditionally, animals were taken onto the moors at the beginning of May from the permanent settlements sheltering in the valleys and were left on the upland pastures until the end of October, the customary day for the return being All Saints' Day (1 November). The term *hafod* (summer place) can be applied both to the summer grazing grounds, and to the dwellings of those who looked after the stock during the summer months. In the *Survey of the Honour of Denbigh*, Hafod-lom, now submerged beneath the Brenig reservoir, was referred to as *Havothlum*, and Hafod Elwy in the Alwen valley was *Hafodelwe*, an area of open uplands of 650 acres capable of pasturing 180 stock. Two hundred years later, in 1537, a court document referred to 'a messuage and lands called the friths of Havott Elway', and by 1551 there were three such messuages, the implication being that by this time the summer pasture had been transformed into permanently occupied farmholdings.

Hafod Elwy was not exceptional. A modern map of Hiraethog testifies to the frequent appearance of *hafod* in the farm names around the moorland fringes; some carry personal names such as Hafod Caradoc and Hafod-Gilbert, while others reflect the topography or vegetation, such as Hafod-y-cefn or Hafodyronnen. While a few may be relatively modern creations, many of these farms, it can be assumed, came into existence as summer dwellings when the open moors spread over a rather larger area than they do today. Later these summer houses developed into permanently occupied farmsteads as their owners expanded the cultivated and enclosed lands further into the hills to altitudes between 300 and 400 metres above sea level, selecting spots that perhaps offered shelter or a reliable water supply. This is apparent in farms such as Hafod Dafydd and particularly Pant-y-fotty, where salients of enclosed ground project into the open moors.

Farms in use today are not the only indicator of the seasonal use of the uplands. Scattered across the southern moors are the foundations of small rectangular buildings, their drystone rubble or boulder walls often no more than a course or two high, occasionally completely grassed over; the foundations supported upper walls of turf or timber

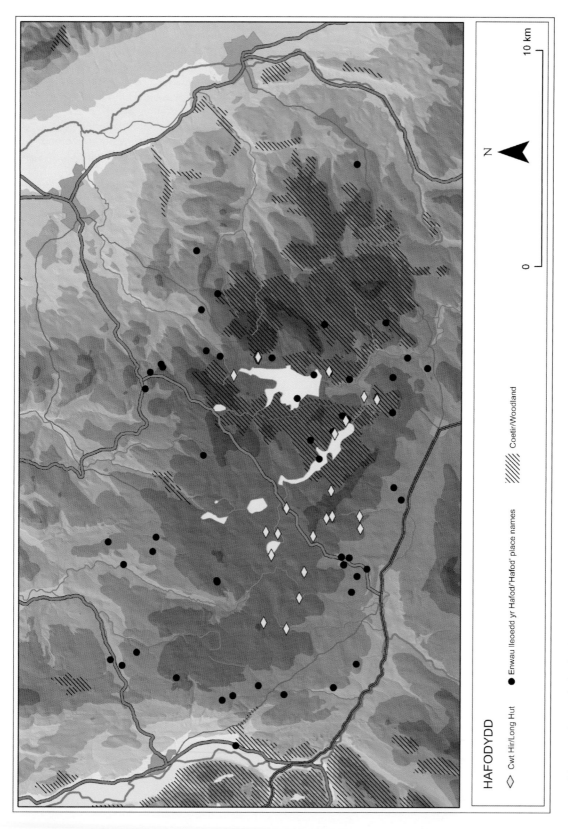

HAFODYDD

◇ Cwt Hir/Long Hut

● Enwau lleoedd yr Hafod/'Hafod' place names

//// Coetir/Woodland

N

0   10 km

Map sy'n dangos dosbarthiad enwau sy'n cynnwys yr elfen hafod o amgylch calon y gweundir, a lleoliad y cytiau hirion y cafwyd hyd iddynt wrth arolygu.

Map showing the distribution of Hafod place-names around the moorland core and the location of long huts found during survey.

Saif pedwar o dyrbinau fferm wynt Tir Mostyn ar dir pori a wellwyd rhwng planhigfeydd conwydd. Yn y glaswelltir gellir dal i weld mân olion lloc isgylchog sydd, hwyrach, â chwt petryal wrth ei ochr. Does dim dyddiad iddynt ond efallai mai olion hafod o'r Oesoedd Canol ydynt.

Four of the turbines of the Tir Mostyn windfarm occupy improved pasture land sandwiched between conifer plantations. Still recognisable in the grassland are the faint traces of a sub-circular enclosure with a possible rectangular hut beside it. The remains are undated but might represent a medieval hafod.

CBHC - RCAHMW, 2007_3980, NPRN 411406

fframiau coed. Bydd maint yr adeiladau hyn, a elwir yn 'dai hirion', yn amrywio. Er bod ambell un yn 12 metr a rhagor o hyd, rhwng 7 ac 8 metr yw'r hyd fwyaf cyffredin. Un ystafell yn unig oedd i'r mwyafrif ohonynt, ond rhennid rhai ohonynt yn ddwy, o leiaf. Mae'r banciau a nodweddion eraill y tu hwnt i'r cytiau'n awgrymu bod llociau neu grofftau'n gysylltiedig â rhai ohonynt. Dyma'r hafotai na ddatblygwyd mohonynt erioed yn ffermydd parhaol ac nad oes cofnod ohonynt mewn na dogfen nac enw lle. Er nad oes dyddiad i'r mwyafrif ohonynt, mae'n debyg iddynt gael eu codi tua diwedd yr Oesoedd Canol neu'n fuan ar ôl hynny, sef rhwng y drydedd ganrif ar ddeg a'r ail ganrif ar bymtheg; ond gallai rhai ohonynt fod wedi'u codi cyn hynny. Fel rheol, caent eu codi mewn mannau cysgodol ar lethrau bryniau neu ymylon dyffrynnoedd lle rhedai'r nentydd tua'r de - mannau a fyddai'n fynych yn edrych allan dros ddarnau helaeth o weundir. Er bod rhai ohonynt i'w cael lai na 350 o fetrau uwchlaw lefel y môr, cewch chi eraill sy'n nes at ganol y gweundir ar uchder o bron 450 o fetrau, ymhell y tu hwnt i'r ffermydd sydd â *hafod* yn eu henwau. Ni chafwyd hyd i bron yr un ohonynt ar y gweundir mwy gogleddol, ac awgryma hynny'n gryf bod gan y cymunedau a drigai'n nes at yr arfordir arferion tymhorol gwahanol i'r rheiny yn ystod y cyfnod hwn.

with thatched roofs on timber frames. These buildings, referred to as 'long huts', vary in size, with a few 12 metres or more in length, although 8 metres is more typical. Most of the huts comprised only a single room, but some were divided into at least two compartments. The presence of banks and other features beyond the huts suggests that some had associated enclosures or crofts. These are the *hafotai* that were never developed into permanently occupied farms and have left no record in documents or as place-names. Most are undated but probably originated in the later Medieval or early Post-medieval periods, the thirteenth to seventeenth centuries; some, however, could be earlier. Typically they were positioned in sheltered locations on hillslopes or valley margins where streams flowed southwards, settings that frequently overlooked extensive tracts of moorland. Some are found at altitudes of less than 350 metres above sea level, but there are others deeper into the central moorlands at nearly 450 metres, well beyond the farms with *hafod* names. Significantly, almost none have been found on the more northerly moors, and this suggests different seasonal practices during this period amongst the communities living closer to the coast.

ANHEDDU TYMHOROL: MOEL RHIWLUG

Enghraifft dda o fferm fach a sefydlwyd ar y gweundir agored yw cwt hir ym mlaen dyffryn uwchlaw Moel Rhiwlug; mae'n 9 metr o hyd ac ychydig dros 5 metr o led ac yn cynnwys sylfeini waliau nad ydynt fawr mwy na 0.3 metr o uchder. Arferwyd peth gofal wrth ei godi gan iddo gael ei osod ar deras bach a gawsai ei dorri i'r llethr i greu llwyfan gwastad. Yn ei ymyl, i bob golwg, mae lloc mawr iawn iawn sydd, mewn mannau, yn 500 metr a rhagor ar ei draws.

Gilomedr ymhellach tua'r gorllewin ac yn uchel i fyny dyffryn Nant-y-foel, cewch chi waliau clogfaen annedd arall sy'n 12 metr o hyd a thros 5 metr o led. Mae llociau ynghlwm wrtho. Yma, efallai i safle hafoty gael ei addasu i'w ddefnyddio'n fwy parhaol cyn rhoi'r gorau iddo, a hwyrach i godi'r corlannau sy'n sefyll dros rannau o'r olion aflonyddu yn y pen draw ar yr olion hynny.

Gan nad cloddio yw'r unig ffordd o daflu goleuni ar ffordd o fyw ers talwm, elfen o Fenter Archaeoleg yr Uwchdiroedd gan y Comisiwn Brenhinol oedd gwneud archwiliad palaeo-amgylcheddol yn 2006 o fawnog yn ymyl y cwt hir ar Foel Rhiwlug y soniwyd amdano uchod. Diben hynny oedd adnabod y paill a gweddillion eraill y llystyfiant a gawsai eu dal a'u diogelu yn y mawn wrth iddo gronni. Drwy ddefnyddio dyddio radiocarbon bu modd sefydlu pryd y ffurfiwyd y mawn, a thrwy adnabod y gwahanol fathau o baill yn y mawn gellid cael darlun o'r newidiadau yn yr amgylchedd dros amser. Cafwyd canlyniadau gwell na'r disgwyl. Rywbryd rhwng tua 1180 a 1280 gwelwyd cyfnod o weithgarwch dwysach ar dirwedd a oedd gan mwyaf yn laswelltir cyfoethog ond a ddaliai i fod â rhai coed ynddi. Awgryma'r ffaith fod golosg yn y mawn y gall y tir fod wedi'i glirio drwy losgi. Tyfid grawn, sef ceirch yn fwy na thebyg, yn y cyffiniau a hynny, hwyrach, o fewn rhan o'r lloc mawr wrth ochr y tŷ hir. Rhoddwyd gwartheg hefyd i bori ochr yn ochr â rhai defaid. Daliwyd i drin y tir am ryw ganrif, efallai, gan i baill grawn gael eu darganfod ar lefelau uwch yn y mawn. Yno, cafwyd hyd i ronynnau prin o baill, tebyg i ganabis, ac awgrymai hynny i ffibrau cywarch gael eu mwydo yn y cwrs dŵr gerllaw a hynny, mae'n debyg, i wneud rhaffau ohono. Er y gall y dystiolaeth o blaid

SEASONAL SETTLEMENT: MOEL RHIWLUG

A long hut set at the head of a valley below Moel Rhiwlug is a good example of a small farmstead established on the open moor; its overall length of 9 metres and width of just over 5 metres includes wall foundations that are little more than 0.3 metres high. Some care was taken in its construction, for it was set on a slight terrace that had been cut into the slope to provide a level platform, close to it there appears to be an extremely large enclosure, in places more than 500 metres across.

A kilometre further west, high up the valley of Nant-y-foel, are the boulder-built walls of another dwelling, 12 metres long and more than 5 metres wide, with enclosures attached to it. Here, the site of a seasonal settlement may have been adapted for more permanent use before being abandoned, the remains eventually being disturbed by the creation of sheepfolds, which partially overlie them.

Excavation is not the only method of shedding light on a past way of life. As an element of the Royal Commission's Upland Archaeology Initiative, a palaeoenvironmental examination was conducted in 2006 of a peat bog close to the Moel Rhiwlug long hut mentioned above. The purpose was to identify pollen and other vegetation remains trapped and preserved within the peat as it accumulated. By means of radiocarbon dating it was possible to establish when the peat was formed and, by identifying the different types of pollen in the peat, to obtain a picture of the changing environment over time. The results were better than might have been anticipated. Sometime between about 1180 and 1280, in a landscape dominated by rich grassland but with some trees still remaining, there was a period of more intense activity. Charcoal within the peat suggests that the ground may have been cleared by burning. Cereals, probably oats, were then grown in the vicinity, perhaps within a part of the large enclosure beside the long hut. Cattle were also grazed alongside some sheep. Cultivation continued for perhaps a century, for cereal pollen was found at higher levels within the peat. Sparse grains of cannabis-type pollen suggested that hemp fibres had been retted in the nearby watercourse, presumably for making rope. While the evidence for cultivation might at

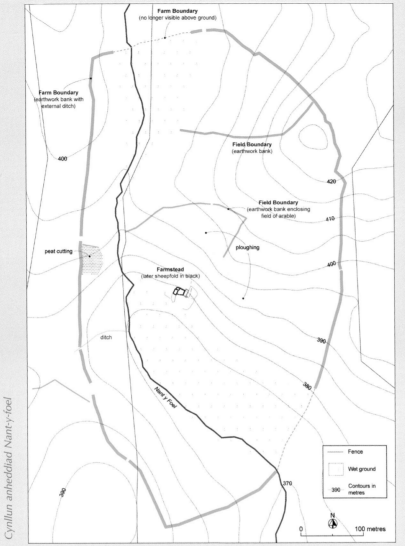

Cynllun anheddiad Nant-y-foel

Plan of Nant-y-foel settlement.

Within the map:

Farm Boundary
(no longer visible above ground)

Farm Boundary
(earthwork bank with
external ditch)

Field Boundary
(earthwork bank)

Field Boundary
(earthwork bank enclosing
field of arable)

peat cutting

ploughing

Farmstead
(later sheepfold in black)

ditch

Nant y Foel

400

420

410

400

390

380

370

390

Fence

Wet ground

390 Contours in metres

N

0   100 metres

trin y tir ein darbwyllo ar yr olwg gyntaf fod yma gymuned barhaol, y posibilrwydd cryf o hyd yw i fan ffafriol gael ei droi'n lle i dyfu grawn ym misoedd yr haf ac i'r anifeiliaid bori'r tir o'i amgylch.

Erbyn y 1300au câi'r tir ei drin lai a llai a chyn hir fe beidiodd hynny'n gyfan gwbl wrth i'r hin oeri a throi'n wlypach. Defaid, gan amlaf, a borai'r tir a breuo wnaeth y llystyfiant. Erbyn yr ail ganrif ar bymtheg yr oedd gweundir grug wedi lledu cyn dirywio'n ddiweddarach ac yna ymadfer o dan y drefn fwriadol bresennol o beidio â rhoi gormod o anifeiliaid i bori arno.

first sight persuade us that here was a permanently settled community, there remains a strong possibility that in the summer months a favourable spot was converted to growing cereals, whilst the stock grazed the surrounding area.

By the 1300s cultivation had declined and soon stopped altogether as global cooling and wetter conditions set in. Grazing continued, mostly by sheep, and the vegetation became poorer. Heather moorland was widespread by the seventeenth century before declining and then recovering with the present land-use regime of deliberate under-stocking.

Yn yr awyrlun hwn gwelir pedwar o'r saith adeilad petryal a berthynai i'r hafoty ar lan Nant Criafolen uwchlaw Cronfa Ddŵr Brenig. Mae banciau pridd tair o'r hafodydd i'w gweld yn glir, a gwelir sylfeini cerrig un arall ohonynt o graffu ar lan arall y nant o'r cwt unigol.

Four of the seven rectangular buildings that make up the seasonal settlement on the banks of Nant Criafolen above the Brenig Reservoir are visible in this aerial shot. The earthen banks of three of the hafodydd are clearly visible, while the stone foundations of a fourth can just be picked out on the opposite bank of the stream to the single hut.

CBHC - RCAHMW, 2009_1098, NPRN 409468

Er nad peth hawdd, hyd yn oed ar ôl cloddio yno, yw gwahaniaethu rhwng yr adeiladau a'r aneddiadau a ddefnyddid yn dymhorol a'r rhai y trigai pobl ynddynt yn barhaol, mae un grŵp o adeiladweithiau ar Hiraethog yn taflu peth goleuni ar yr arfer o drawstrefa. I'r dwyrain o ddyffryn Brenig yr oedd ffermydd Hafod-lom a Hafoty Siôn Llwyd. Bellach, mae'r gyntaf o dan y gronfa ddŵr a gweddillion anghyfannedd fferm o'r bedwaredd ganrif ar bymtheg oedd yr olaf. Yn union i'r gogledd o Hafoty Siôn Llwyd mae nant fach, Nant Criafolen, ac yma ac acw ar hyd ei glannau cewch chi sylfeini saith adeilad petryal ynghyd â l 	lociau bach ac argloddiau iddynt. Cloddiwyd Hafod y Nant Criafolen yn y

Distinguishing those buildings and settlements used on a seasonal basis from those that were permanently occupied is not straightforward, even after excavation, but one group of structures on Hiraethog does throw some light on the practice of transhumance. East of the Brenig valley were the farms of Hafod-lom and Hafoty Siôn Llwyd, the former now beneath the reservoir, the latter represented by the abandoned remains of a nineteenth-century farm. Immediately north of Hafoty Siôn Llwyd is the small stream of Nant Criafolen, spaced along the banks of which are the foundations of seven rectangular buildings, accompanied by small embanked enclosures.

Cynhwysai'r hafod ar lan Nant Criafolen sawl cwt syml, a chynhaliai eu sylfeini cerrig furiau o dywyrch a thoeon o rug. Er bod drws i bob cwt, mae'n debyg nad oedd ffenestr i'r un ohonynt. Seilir yr adluniad hwn ar yr adroddiad a gyhoeddwyd ym 1993 ar y cloddio ym Mrenig.

The summer settlement beside Nant Criafolen contained several simple huts whose stone foundations supported turf walls and heather covered roofs. Each hut had a single doorway but was probably windowless. This reconstruction is based on the Brenig excavations report published in 1993.

NPRN 409468

1970au a dyma'r grŵp o hafotai a archwiliwyd fwyaf yng Nghymru (Allen, 1979). O'i thomenni sbwriel gerllaw'r cytiau cafwyd crochenwaith a gwrthrychau metel o'r bymthegfed ganrif a'r ganrif ddilynol, ac mae'r dystiolaeth yn awgrymu na wnaeth yr anheddau bara mwy na chanrif. Oddi yma byddai'r ffermwyr, neu efallai aelodau o'r teulu, wedi gallu gwylio'u hanifeiliaid yn pori yn y dyffryn wrth iddynt hwy eu hunain wneud pethau fel caws neu frethyn. Gan fod cynifer o adeiladau i gyd mewn un man, mae Hafod y Nant Criafolen yn eithriad, ond ar Hiraethog cewch hyd i sylfeini adeiladau bach petryal tebyg yn eithaf mynych mewn mannau eraill.

Excavated in the 1970s, Hafod y Nant Criafolen is the most fully examined group of *hafotai* in Wales (Allen 1979). Its middens, beside the huts, produced pottery and metal objects of the fifteenth and sixteenth centuries, and the evidence suggests that the dwellings may have lasted for no more than a century. From here the farmers, or perhaps family members, would have been able to watch their stock grazing in the valley whilst continuing with activities such as cheese making or cloth making. Hafod y Nant Criafolen is exceptional because of the number of buildings concentrated in one area, but elsewhere on Hiraethog the

Glan-y-gors, fferm anghyfannedd wrth ymyl y ffordd o Lansannan i Lyn Aled, ger ymyl ogleddol y gweundir.

Glan-y-gors, an abandoned farmstead alongside the road from Llansannan to Llyn Aled, close to the northern edge of the moorland.

CBHC - RCAHMW, DS2008_239_003, NPRN 408317

Cysgodi yn rhai o'r dyffrynnoedd hygyrch sy'n torri ar draws gwastadedd y gweundir, a hefyd ar y llethrau isaf, wna rhai o'r ffermydd y bu pobl yn byw ynddynt yn fwy diweddar. Waliau cerrig eu caeau yw'r nodwedd fwyaf trawiadol ar y dirwedd i'r gogledd o'r A5, ond cewch hefyd ffermydd fel Maes Merddyn uwchlaw Afon Cadnant sydd, mae'n debyg, yn cynrychioli daliadau a oedd newydd eu creu ymhellach allan ar lethrau'r gweundir. Ceir hefyd 'ynysoedd' o dir a wellwyd a gweundir agored o'u cwmpas i bob cyfeiriad. Ymhlith rhai o'r enghreifftiau gorau mae'r grŵp o ffermydd yn nyffryn

foundations of similar small rectangular buildings occur fairly frequently.

Farms that have been occupied more recently shelter in some of the accessible valleys dissecting the moorland plateau and also on the lower slopes. Their stone-walled fields are the most eye-catching feature of the landscape north of the A5, but there are also farms such as Maes Merddyn above Afon Cadnant, which probably represent holdings newly created further out on to the moorland slopes. There are also 'islands' of improved land completely surrounded by open moorland. Some of the best

bas Nant-fach lle mae'n cymeru ag Afon Alwen, rhwng Llyn Aled a chronfa ddŵr Alwen. O amgylch Tan-y-graig, y brif fferm, mae eraill, gan gynnwys Tai-pellaf, Tŷ-isaf ac, yn y bedwaredd ganrif ar bymtheg, Ben-y-ffrith a Thyn-y-gors. Yma hefyd y mae Hafod Elwy, y tir y cyfeiriwyd ato yn y *Stent* yn y bedwaredd ganrif ar ddeg. Yn is i lawr afon Alwen yr oedd grŵp arall o ffermydd yn rhes ar hyd llethrau gogleddol y dyffryn: Ty-uchaf, Tai-isaf, Creigiau'r-bleiddiau ac, yn arwyddocaol yng

examples include the group of farms in the shallow valley of Nant-fach where it converges on Afon Alwen, between Llyn Aled and the Alwen Reservoir. Tan-y-graig, the main farm, is ringed by others, including Tai-pellaf, Tŷ-isaf and, in the nineteenth century, Pen-y-ffrith and Tyn-y-gors. Here too is Hafod Elwy, the land referred to in the fourteenth-century *Survey*. Lower down the Alwen a second group of farms was spread in ribbon fashion along the valley's northern slopes: Ty-uchaf, Tai-isaf,

Mae tri rhaniad corlan Nant-y-foel, a godwyd yn y ddeunawfed ganrif neu'r ganrif ddilynol mae'n debyg, i'w gweld yn glir o'r awyr. Llawer llai amlwg yw sylfeini tŷ cynharach yn union o flaen y gorlan. Mae'r rheiny i'w gweld yn gliriach ar y cynllun ar dudalen 53. .

The three compartments of the Nant-y-foel sheepfold, probably eighteenth or nineteenth-century in build, are clearly revealed from the air. Much less obvious are the foundations of an earlier house immediately in front of the fold, which is better appreciated from the plan on page 53.

CBHC - RCAHMW, 2009_1132 and 2009_1139, NPRN 409861

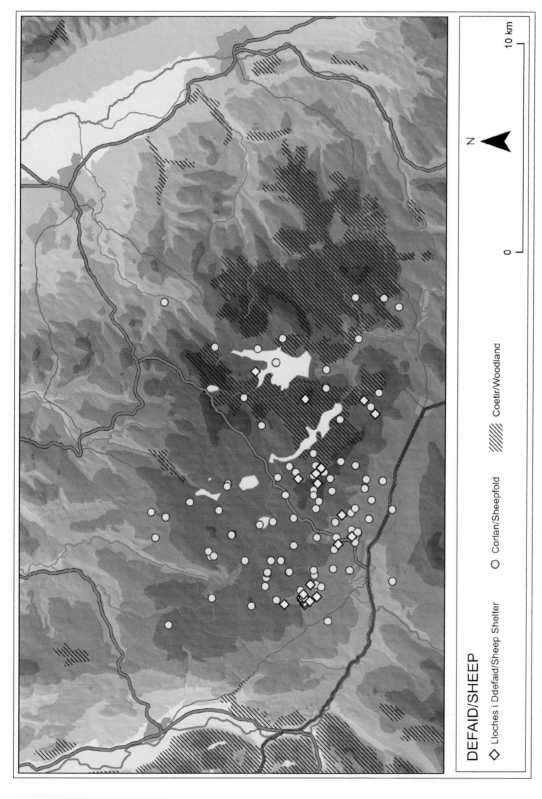

DEFAID/SHEEP

◇ Lloches i Ddefaid/Sheep Shelter   ○ Corlan/Sheepfold

///// Coetir/Woodland

N

0   10 km

Map sy'n dangos dosbarthiad cysgodfannau defaid a chorlannau.
Map showing the distribution of sheep shelters and sheepfolds.

ngoleuni tarddiadau rhai o'r ffermydd hyn, Hafod-y-llan-uchaf, Hafod-y-llan-isaf, a Hafod-y-llan-bach. Ar wahân i Hafod-y-llan-isaf, mae'r ffermydd hynny wedi diflannu o dan y planhigfeydd conwydd helaeth o amgylch Cronfa Ddŵr Alwen.

Efallai i'r ffermydd sydd â *hafod* yn eu henwau fod wedi'u creu'n wreiddiol yn anheddau tymhorol yn yr Oesoedd Canol ac mai'n ddiweddarach yr aeth pobl i fyw ynddynt yn barhaol; datblygwyd eraill wedi hynny adeg clirio'r tiroedd gerllaw. Mae patrwm y terfynau o amgylch Tan-y-graig fel petai'n ymdrech fwriadol i greu caeau rheolaidd eu patrwm ar y dirwedd, a'r amser mwyaf tebygol i hynny fod wedi digwydd fyddai tua diwedd y ddeunawfed ganrif neu ddechrau'r ganrif ddilynol adeg cau tiroedd comin o dan ddeddfau seneddol. Ond datblygiad mwy organig oedd y caeau mwy afreolaidd, a chromlinog yn aml, o amgylch Tai-pellaf a Thŷ-isaf, ac ychwanegwyd llociau newydd at y rhai a fodolai eisoes; yn ddiweddar, cafwyd hyd i fap a luniwyd yn niwedd y ddeunawfed ganrif ac sy'n dangos bod chwech ar hugain o gaeau bach o amgylch Tŷ-isaf.

Codwyd bythynnod hefyd ar y gweundir – rhai o'r rheiny gyda sêl bendith y tirfeddianwyr, ac eraill yn dai unnos. Efallai mai dyna darddiad yr annedd fach a elwir yn Fwlch Du, ger blaen Llyn Brenig. Bellach, mae'n anghyfannedd, ond ym 1916 dywedwyd bod to grug arno. Pan ymwelodd Iorwerth Peate, arbenigwr Amgueddfa Genedlaethol Cymru ar fywyd gwerin, â'r fro ym 1938 gwelodd fod to brwyn dros y defnydd a oedd o dan y to, a brig o dywyrch ar ben y cyfan (Peate, 1946). Mae hi bron yn sicr mai tŷ unnos arall yw Nant Heilyn, y ffermdy sy'n adfeilion ar ochr bellaf Afon Alwen o Dan-y-graig: daw'r enw o Nant-y-llyn, ond mae'n debyg mai Pensilvania oedd yr enw arno tua diwedd y ddeunawfed ganrif. Efallai i fythynnod o'r fath weld tlodi o fath sy'n anodd ei amgyffred. Dywedir i deulu a drigai mewn bwthyn yn Hafod-elwy yn hanner cyntaf y bedwaredd ganrif ar bymtheg ddefnyddio blwch yn fwrdd a cherrig o'i amgylch yn gadeiriau. Ond p'un a oedd hwnnw'n fwy na hafoty, fel yr awgrymwyd, does dim modd gwybod.

Yr oedd patrwm yr anheddu ar Hiraethog yn gynharach yn y bedwaredd ganrif ar bymtheg yn debyg i'r hyn a welwyd mewn llawer rhan o uwchdir Cymru lle'r oedd pobl yn byw mewn llawer mwy o anheddau nag sydd yno heddiw. Bellach, adfeilion

Creigiau'r-bleiddiau and, significantly in the light of the origins of some of these farms, Hafod-y-llan-uchaf, Hafod-y-llan-isaf, and Hafod-y-llan-bâch. Hafod-y-llan-isaf apart, these farms have been lost beneath the extensive conifer plantations around the Alwen Reservoir.

Those farms with *hafod* names may have emerged originally as seasonal dwellings in the Middle Ages, later becoming permanently occupied; others were developed subsequently on adjacent clearances. The chequer-board pattern of boundaries around Tan-y-graig seems to have been a deliberate imposition on the landscape of regularly laid-out fields, and the likeliest time for this to have happened would have been the period of parliamentary enclosure in the later eighteenth or early nineteenth century. But the more irregular, often curvilinear, fields around Tai-pellaf and Tŷ-isaf were a more organic development, with new enclosures appended to existing ones; a recently identified late eighteenth-century map of Tŷ-isaf shows that there were then twenty-six small fields around it.

Cottages were also constructed on the moors, some with the tacit approval of the landowners, others illicitly under cover of darkness, the latter known as *tŷ-unnos* or 'overnight house'. The small dwelling known as Bwlch-du, near the head of Llyn Brenig, perhaps originated in this way. Now abandoned, it was reported in 1916 as having a roof thatched with heather. When Iorwerth Peate, the folk-life expert from the National Museum of Wales, visited the area in 1938 he found that the roof had rush thatching over heather underthatch, all topped by a ridge formed of sods (Peate 1946). Nant Heilyn, the ruined farmstead on the far side of Afon Alwen from Tan-y-graig, is almost certainly another *tŷ-unnos*: the name is derived from Nant-y-llyn, though in the late eighteenth century it seems to have been called Pensilvania. Such cottages may have witnessed a level of poverty difficult to imagine. It is reported that a family occupying one cottage at Hafod Elwy in the first half of the nineteenth century used a box as a table, with stones around it for chairs. However, whether as has been suggested, this was no more than a summer dwelling we have no way of knowing.

The settlement pattern of Hiraethog in the earlier part of the nineteenth century was similar to that in

neu bentyrrau o rwbel yw'r mwyafrif ohonynt. Mae'r lleoliadau anghysbell ac agored, ynghyd â'r newidiadau yn yr arferion amaethu – yn enwedig yn sgil trychinebau fel y dirwasgiad ym myd amaeth tua diwedd y bedwaredd ganrif ar bymtheg – wedi cael effaith ddychrynllyd ar bobl ac adeiladau.

Tyfodd cynhyrchu gwlân ar uwchdiroedd Cymru yn fwyfwy pwysig tua diwedd yr Oesoedd Canol. Gan nad oedd angen fawr o ofal ar ddefaid wrth iddynt bori, prin yw olion y diwydiant gwledig pwysig hwnnw. Yr olion a geir amlaf yw corlannau: mae cant a rhagor ohonynt wedi'u cofnodi, ac er eu bod wedi'u gwasgaru'n eithaf gwastad ar draws y gweundir, ceir niferoedd helaethach ohonynt ar y llethrau mwy deheuol. Delir i ddefnyddio rhai ohonynt, ond rhoddwyd y gorau i eraill er i waliau llawer un gael eu codi o gerrig sychion cadarn. Defnyddid y corlannau'n bennaf i gorlannu a rheoli defaid i'w dipio, eu marcio, eu cneifio a'u lladd yn hytrach na'u cysgodi a'u hamddiffyn. Cynllun syml o ddwy ran sydd i'r mwyafrif ohonynt, ond mewn ambell un ceir mwy o rannau am fod gofyn didoli a gwahanu'r defaid ynddynt. Fel rheol, fe'u codid yn ymyl dŵr rhedegog, ond os nad oedd nant wrth law gallai'r trefniadau eraill gynnwys codi celloedd pwrpasol yn gafnau dipio, fel y gwnaed yng Nghlytiau-teg ar ymyl orllewinol Hiraethog.

Hwnt ac yma ar draws y gweundir cewch chi adeiladweithiau unigol o gerrig sychion sydd, yn aml, mewn mannau amlwg. Darnau o waliau yw rhai ohonynt, ond gallant ymestyn bron 20 metr. Mae eraill yn fwy cymhleth a'u waliau ar ffurf T, L a hyd yn oed X, Y a Z. Cafwyd hyd i fwy na phymtheg ar hugain ohonynt ar Hiraethog, ac un o'r rheiny oedd adeiladwaith ar ffurf Y o glogfeini grut, cerrig llai o faint a thywyrch, a gloddiwyd ym Mryn yr Hen Groes adeg cloddio Brenig ym 1972 (Lynch, 1993). Byddai'r adeiladweithiau hynny'n fodd i anifeiliaid gysgodi rhag tywydd garw, a chynigiai'r ffurfiau mwy cymhleth amddiffyniad rhag gwynt a glaw o bob cyfeiriad. Anwastad yw dosbarthiad yr adeiladweithiau hynny ar draws y gweundir, a chymharol brin yw'r rhai ar y tir comin gogleddol. Mae'r ffaith fod grwpiau o gysgodfannau o'r fath islaw cefnen Ffridd-y-foel ac ar Fwdwl-eithin yn awgrymu bod rhai, yn fwy na'i gilydd, o berchnogion a bugeiliaid Hiraethog yn ymboeni ynghylch lles cyffredinol eu hanifeiliaid.

many parts of upland Wales, where there were many more occupied dwellings than there are today. Most of these now lie in ruins or have been reduced to piles of rubble. The remote and exposed locations, coupled with changes in farming practices, particularly in the wake of disasters such as the late nineteenth-century agricultural depression, have taken a heavy toll of people and buildings.

Wool production in the Welsh uplands became increasingly important in the later Middle Ages. Grazing sheep need little maintenance, and the physical evidence of this significant rural industry is therefore slight. Sheepfolds are the most frequently occurring remains: over a hundred have been recorded, spread fairly evenly across the moors, though with larger numbers on the more southerly slopes. Some are still in use but others, often of well-constructed drystone walling, have been abandoned. Folds were used primarily for rounding up and controlling the sheep in order to dip, mark, shear and cull them, rather than for shelter and protection. Most are of simple design, containing only a couple of compartments, though a few have more divisions, demonstrating the requirement to sort and separate the stock. Folds were usually set close to running water, but where there was no convenient stream, alternative arrangements included the construction of purpose-built cells as dipping troughs, as at Clytiau-têg on the western edge of Hiraethog.

Scattered across the moors are solitary drystone structures, which are often in locally prominent locations. Some of these are no more than simple lengths of wall though they can stretch for nearly 20 metres, but others are more complicated, with the walls forming T, L, and even X, Y and Z-shapes. Over thirty-five of these have been identified on Hiraethog, including a Y-shaped structure of gritstone boulders, smaller stones and turf, which was excavated at Bryn yr Hen Groes during the Brenig excavations in 1972 (Lynch 1993). These structures allowed stock to shelter from inclement weather, the more complex forms offering protection regardless of the direction of the wind and rain. Their distribution across the moors is uneven – there are relatively few on the northern commons – and groups of such shelters below the Ffridd-y-foel ridge and on Mwdwl-eithin suggest that some Hiraethog owners and their shepherds

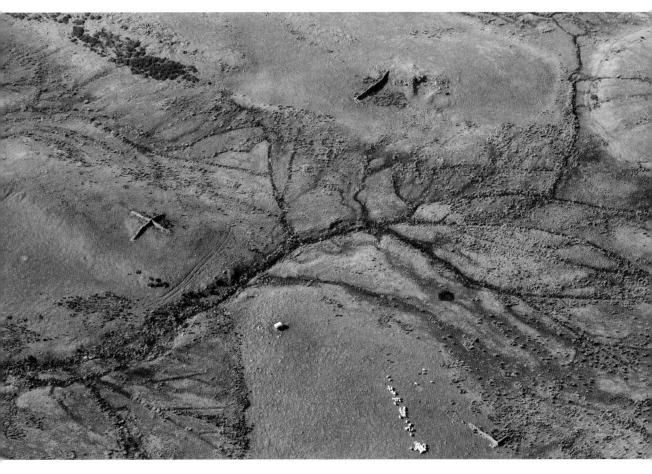

Mae waliau sychion i fagu stoc pori o'u mewn yn ystod tywydd garw i'w gweld yn glir ar y tiroedd a wellwyd ar ucheldir Hiraethog ger Maes Merddyn, ychydig i'r gogledd o Bentrefoelas. O'r pedwar sydd i'w gweld yma, siâp croes sydd i ddau ohonynt a siâp 'L' sydd i un arall.

Dry-stone walls for sheltering grazing stock during bad weather stand out on the improved upland pastures of Hiraethog near Maes Merddyn, just north of Pentrefoelas. Of the four visible here, two are cross-shaped and a third is L-shaped in its design.

CBHC - *RCAHMW, 2009_1139, NPRN 268829 & 268833*

Nodwedd o amgylch ymylon y gweundir, fel ar Foel Maelogen yn y gogledd-orllewin, yw llociau ac iddynt furiau sy'n cwmpasu hectarau lawer. Yr oedd meddiannu'r gweundir fel hyn yn y bedwaredd ganrif ar bymtheg yn ffordd o reoli anifeiliaid pori, ond yn aml fe adawyd y tiroedd a amgaewyd fel hyn yn llystyfiant gweundir heb ei wella.

were more concerned than others about the general welfare of their stock.

Larger walled enclosures encompassing many hectares are a feature around the moorland fringes, as on Moel Maelogen in the north-west. Encroaching onto the moors in this fashion in the nineteenth century offered a means of controlling grazing stock, though the areas thus enclosed were often left as unimproved moorland vegetation.

Cyfoeth y Gweundir

Mae'r gweundir bob amser wedi bod yn ffynhonnell o ddefnyddiau crai i'r rhai sy'n trigo arnynt ac yn eu hymyl. Ers talwm, defnyddid planhigion fel grug, eithin, brwyn, mwsogl (y delid i'w gasglu ar Hiraethog tan ychydig flynyddoedd yn ôl) a llus mewn sawl ffordd, ond ni fydd torri a chasglu llystyfiant o'r fath yn gadael unrhyw ôl parhaol ar y dirwedd. Gweithgarwch sy'n gadael ei ôl arni yw torri ffynhonnell hollbwysig o danwydd i bobl leol, sef mawn (Owen, 1990). Pan gaewyd gweundir i'r dwyrain o ddyffryn Brenig a'u dosbarthu ymhlith y tirfeddianwyr lleol yn gynnar yn y bedwaredd ganrif ar bymtheg, neilltuwyd sawl darn o dir yn fawnogydd i'r gymuned leol gloddio mawn ohono. Dibynnai'r aelodau tlotaf o gymdeithas ar fawn fel tanwydd a theithient i'r gweundir o'u cartrefi ar dir is o amgylch Hiraethog i'w gasglu; yr oedd gan rai ffermydd hefyd eu mawnogydd eu hunain ac fe'u cloddient flwyddyn ar ôl blwyddyn. Daliodd sawl un o ffermwyr Hiraethog i dorri mawn yn y 1950au, a'r gred leol oedd bod un fferm yn dal i ddefnyddio mawn mor ddiweddar â'r 1980au. Er na wnaed ymgais erioed i gloddio mawn yn fasnachol yno, cynigiwyd cynllun ym 1960 i dorri blociau o fawn i'w gwerthu, ond ddaeth dim ohono.

Yr arfer oedd torri mawn o ffosydd llinol hir yn y gwanwyn, gadael i'r blociau sychu mewn pentyrrau tan yr hydref ac yna'u cludo i'r fferm neu'r bwthyn ar gert, ar gar llusg neu hyd yn oed mewn basgedi ar gefnau'r gwragedd. Gellir gweld gweddillion y gweithgarwch hwnnw: pentyrrau o fawn na chasglwyd mohonynt byth, gwasgariadau o gerrig a godwyd wrth dorri'r mawn, y traciau a ddefnyddiid gan y ceir llusg neu'r ceirt wrth gyrchu'r mawnogydd ac, yn arbennig, fân olion torri'r mawn yn flociau petryal. Er bod rhai o'r mawnogydd yn fach iawn, cewch chi rai tipyn mwy eu maint fel y rhai ar y llethrau a'r cefnennau i'r dwyrain o Lyn Alwen ac ar y gwastadedd tonnog i'r de o Afon Alwen. Ambell waith, bydd llwyfan a godwyd yn fwriadol o gerrig, a (neu heb) ffos draenio o'i amgylch, yn dangos lle y câi'r mawn ei bentyrru i sychu dros fisoedd yr haf: enghraifft o hynny yw'r gosodiad hirgrwn o gerrig, sy'n 11 metr o hyd, ar esgair ar Foel Rhiwlug.

The Wealth of the Moors

The moors have always provided raw materials for those who live on and around them. In the past, plants such as heather, furze (gorse), rushes, moss (which was still being collected on Hiraethog until a few years ago), and bilberries have been put to a variety of uses. Cutting and gathering such vegetation leave no permanent mark on the landscape but one activity that does is peat cutting, a vital source of fuel for local people (Owen 1990). When the moorlands east of the Brenig valley were enclosed and distributed amongst local landowners in the early part of the nineteenth century, several tracts of land were set aside as turbaries for communal peat digging. Poorer members of society relied on peat as a source of fuel and travelled to the moor from the lower-lying settlements around Hiraethog to collect it; some farms also had their own turbaries, which they exploited year after year. Several Hiraethog farmers continued to cut peat into the 1950s and there is a local belief that one farm was still using peat as recently as the 1980s. The commercial extraction of peat has never been attempted, although a scheme to cut peat blocks for sale was mooted in 1960 but never implemented.

Peat was usually cut in the spring from long linear trenches and the blocks were then left to dry in mounds until autumn, before being taken to the farm or cottage by cart, sled or even in baskets carried on the backs of the womenfolk. Relics of this activity may be seen in the mounds of peat that were never collected, scatters of surface stone turned up during the cutting, the tracks used by the sleds or carts that led to the turbaries, and especially the faint marks of the rectangular peat cuttings themselves. Some of the turbaries are slight but others, such as those on the slopes and ridges east of Llyn Alwen and on the undulating plateau to the south of Afon Alwen, extend over larger areas. Occasionally, a deliberately constructed platform of stones, with or without a drainage gully around it, indicates where peat was stacked to dry over the summer months: one example, an oval stone setting about 11 metres long, occupies a spur of Moel Rhiwlug.

Ceir amryw byd o chwareli cerrig bach hwnt ac yma ar y gweundir. O'r rheiny, ers talwm, y câi pobl ddefnyddiau crai i greu pob math o adeiladau, waliau a thracffyrdd ac ohonynt hefyd y cafwyd y defnyddiau i godi'r cronfeydd dŵr a'u hargaeau. Gall chwareli penodol fod wedi'u creu at ddiben penodol, fel codi tŷ; o'r pantiau chwarela ar Fwdwl-eithin y daeth cerrig y mur terfyn sy'n rhedeg wrth eu hymyl. Mae'n debyg i'r chwareli mawr, fel y rhai ym Mron Alarch, ychydig o fewn terfynau'r gweundir, gael eu defnyddio ar y cyd gan y ffermydd ar dir isel pan fyddai angen cyflenwadau o gerrig. Mae'n debyg hefyd i eraill, fel y llinell o chwareli sy'n dilyn brigiad llinol y graig ar Fwdwl-eithin, gael eu defnyddio dros gyfnodau hwy i ddiwallu unrhyw angen a ddigwyddai godi.

Cloddiwyd cerrig yn fasnachol hefyd mewn ambell le, ond ar raddfa fach yn unig. I'r dwyrain o Lyn Brân, bu chwareli Aber a Nantglyn ar waith tua diwedd y bedwaredd ganrif ar bymtheg. Daliodd y naill i gyflenwi slabiau llechi tan y 1920au a'r llall tan y 1950au. Ger chwarel fawr sydd dros 100 metr o hyd ar Fwlch-gwyn mae adeilad bach di-ffenestr a arferai fod, efallai, yn fan cysgodi neu'n lle i gadw ffrwydron. Mae'r ffaith ei fod yn agos at y ffordd dyrpeg a bod chwareli eraill bob hyn a hyn ar hyd y ffordd, yn awgrymu iddo gael ei godi yn gynnar yn y bedwaredd ganrif ar bymtheg adeg adeiladu'r ffordd.

Numerous small stone quarries are scattered across the moors. In the past they provided raw material for buildings of all types, walls, trackways, and for the construction of the reservoirs and their dams. Particular quarries may have served a specific requirement such as the construction of a house; the quarry scoops on Mwdwl-eithin were the source of the stone for the boundary wall which runs adjacent to them. Large quarries such as those on Bron Alarch, lying just within the moorland perimeter, were probably used communally by lower-lying farms requiring supplies of stone. Others, such as the line of quarries following a linear outcrop of rock on Mwdwl-eithin were probably resorted to over longer periods of time for any need that emerged.

Commercial stone extraction also occurred, but only on a small scale in a few places. East of Llyn Brân, the Aber and Nantglyn quarries operated in the later nineteenth century and continued to supply slate slabs until the 1920s and 1950s respectively. On Bwlch Gwyn a large quarry more than 100 metres long has a small, windowless building close by, perhaps a blast shelter or magazine. Its proximity to the turnpike road along with other quarries at intervals along the road's length, suggests it may have originated in the earlier part of the nineteenth century when the road was being built.

Llwybrau a Ffyrdd

Communications

Mae'r tracffyrdd sy'n ymlwybro ar draws y gweundir wedi bod yno ers i bobl ddechrau defnyddio'r gweundir hwn yn gyson. Gall rhai ohonynt fod yn goridorau y mae pobl wedi teithio ar hyd-ddynt am filoedd o flynyddoedd. Datblygwyd eraill adeg ecsbloetio rhyw adnodd penodol ar y gweundir. Er hynny, mae hi bron yn amhosibl gwahaniaethu rhwng olion y traciau cynharaf a ddefnyddid gan gymunedau cynhanesyddol a'r rhai a grëwyd yn fwy diweddar.

Ar hyd ymylon Hiraethog ceir ffyrdd tyrpeg. Adeiladodd Thomas Telford y ffordd i Gaergybi ar hyd ochr ddeheuol y gweundir rhwng 1815 a 1826. Gan fod y ffordd dyrpeg o Bentrefoelas i Lanrwst

Trackways that thread their way across the moors have been in existence as long as people have made regular use of the uplands. Some may represent corridors along which people have travelled for thousands of years; others have emerged when a particular moorland resource was exploited. However, distinguishing the surface remains of the earliest tracks used by prehistoric communities from those of more recent origin is almost impossible.

Hiraethog is fringed by turnpike roads. Thomas Telford constructed the Holyhead Road along the south side of the moors between 1815 and 1826. The turnpike road from Pentrefoelas to Llanrwst via

Un o'r mannau byw mwyaf anghysbell yw hwnnw ar Dyrpeg Mynydd lle codwyd y bwthyn bach yn dollty ger y ffordd dyrpeg o Ddinbych i Bentrefoelas tua diwedd y 1820au. Yn wahanol i gynllun llawer tollty arbennig, prin bod gwahaniaeth rhwng y cynllun hwn a chynllun llu o fythynnod eraill ar yr uwchdiroedd.

One of the most remote habitations is on Turpeg Mynydd where the small toll cottage was built beside the Denbigh to Pentrefoelas turnpike road in the late 1820s. Unlike many tollhouses with their distinctive designs, this is virtually undistinguishable from many other upland cottages.

CBHC - RCAHMW, DS2008_248_003, NPRN 408315

*Prin yw'r llwybrau sy'n croesi Hiraethog,
ac mae hynny'n cyfnerthu'r farn mai
hwn yw 'one of the very last unspoiled
wild places in Wales'. Mae'r llwybr i Lyn
Alwen – llwybr a all fod wedi bodoli am
ganrifoedd maith – yn gyfle i fwynhau
natur anghysbell y gweundir hwn.*

*Few tracks cross Hiraethog, reinforcing
the view 'that this is one of the very last
unspoiled wild places in Wales'. The
route to Llyn Alwen, which may have
been in use for hundreds of years,
offers an opportunity to experience the
remoteness of these moors.*

CBHC - RCAHMW, DS2008_238_001,
NPRN 408312

drwy Nebo eisoes yn bod, rhaid mai honno a
ddefnyddiwyd gan John Evans ym 1798 pan
ddigalonnodd wrth weld y golygfeydd ar draws
Hiraethog. Ym 1827 yr agorwyd yr A543 sy'n
croesi'r gweundir i gysylltu Dinbych â'r A5 ym
Mhentrefoelas. Nid yn unig y mae'r ffordd yno o
hyd, ond yno hyd heddiw mae'r chwareli min-y-
ffordd fu'n ffynhonnell y defnyddiau adeiladu, y
waliau gwreiddiol, y bont garreg ar draws Afon
Alwen a elwir yn Cottage Bridge, a hyd yn oed
fwthyn bach y dyrpeg yn Nhyrpeg Mynydd ar ochr
ddeheuol y gweundir. Nid yn unig yr oedd y ffordd
ar draws y gweundir yn cynnig siwrnai haws a
byrrach i'r teithiwr rhwng rhan uchaf Dyffryn
Conwy a Dyffryn Clwyd, ac felly'n arbennig o
ddefnyddiol ym misoedd y gaeaf, ond yr oedd
hefyd yn fodd i'r ymwelydd weld y golygfeydd ar
draws gweundir Mynydd Hiraethog.

Yr oedd y traciau a ragflaenai'r ffyrdd a
adeiladwyd yn y bedwaredd ganrif ar bymtheg yn
dilyn gorweddiad y tir, sef o'r de-orllewin i'r
gogledd-ddwyrain yn bennaf. Mae eu cyfeiriad i'w
weld yn gliriach o'r arlliwio gwahaniaethol ar
fapiau cynharaf yr Arolwg Ordnans ym 1840 nag ar
gyfuchlinïau mapiau modern. Mae llwybr yr A543
yn dilyn y gorweddiad naturiol hwnnw ond dilyn
llinell tebyg i drac a redai ar hyd gwaelod sgarp
Hiraethog ryw 500 metr i'r gogledd wnaeth ffordd
newydd Telford (yr A5). Er nad honno oedd yr unig
un a redai o'r gogledd-orllewin i'r de-ddwyrain ar

Nebo was already in existence at that time and
must have been the road used by John Evans in
1798 when the views across Hiraethog so
depressed him. The A543, crossing the moors, was
opened in 1827 and linked Denbigh to the A5 at
Pentrefoelas. Not only does the road itself remain
but also the roadside quarries that provided
construction materials, original walling, the stone
road bridge across the Alwen known as Cottage
Bridge, and even the small turnpike cottage at
Turpeg Mynydd on the southern side of the
moorland. This trans-moorland road not only
provided a shorter and easier journey for the
traveller between the upper Conwy valley and the
Vale of Clwyd, particularly useful in the winter
months, but also opened up the moorland
landscapes of Mynydd Hiraethog to the visitor.

The tracks that were the precursors of the
nineteenth-century routes followed the 'grain' of
the country, primarily from south-west to north-east.
Their direction is more apparent from the
differential shading employed on the earliest
published Ordnance Survey maps of 1840 than
from the contours on modern maps. The alignment
of the A543 follows this natural grain. However, the
A5 adopted a line similar to a track that skirted the
base of the Hiraethog escarpment about 500 metres
to the north of Telford's new road; it was not alone
in running from north-west to south-east across the
grain of the Hiraethog plateau, but tracks on this

draws gorweddiad llwyfandir Hiraethog, mae llwybrau o'r fath bob amser wedi bod yn llai cyffredin o lawer.

Llwybr sy'n codi o gyffiniau Pentrefoelas ac yn mynd drwy Fwlch y Garnedd, ond ar lwybr llai troellog na'r A543 gerllaw, yw tracffordd suddedig sy'n rhyw 4-5 metr o led. Oherwydd y defnyddio cyson arno, mae ef bron yn fetr o ddyfnder. 'Ffordd Dinbych' oedd yr enw arni tua diwedd y bedwaredd ganrif ar bymtheg. Wrth gyrraedd brig y gefnen uwchlaw Dyffryn Alwen, mae'n ymrannu. Aiff un gangen ohoni i ffwrdd tua'r dwyrain i groesi'r afon ac yna tua'r gogledd-ddwyrain nes cyrraedd pentref bach Nantglyn, a hyd yn oed heddiw fe'i dilynir gan lwybrau troed ac, ambell waith, gan ffyrdd. Rhedai cangen arall ohoni tua'r gogledd. Y rhain yw'r llwybrau amlycaf sydd wedi goroesi o'r traciau a groesai'r gweundir yn yr Oesoedd Canol – a hyd yn oed ynghynt, efallai – gan ddilyn y llinellau mwyaf cyfleus o ran gorweddiad y tir ac osgoi croesi dyffrynnoedd onid oedd hynny'n gwbl angenrheidiol.

Mae traciau eraill yn cysylltu'r pentrefi o amgylch Hiraethog â'r gweundir ei hun. Un ohonynt yw'r lôn fach sy'n rhedeg tua'r de o Lanfair Talhaearn a Llansannan ac yn cyrraedd y gweundir ger adfeilion bwthyn Tŷ-nant. Yna, mae tracffordd, a ddynodir yn un sydd â hawl tramwy cyhoeddus arni, yn rhedeg dros Fryn Poeth ac yn dilyn terfyn y plwyf yn agos cyn dirywio'n fawr mwy na llwybr. Ychydig i'r gogledd o Lyn Alwen, ar Foel Llyn, mae'r llwybr fel petai'n dirywio ond yn dod i'r golwg eto fel llwybr o amgylch y llyn cyn rhedeg tua'r de-orllewin i Bentrefoelas. Ar fapiau cynnar yr Arolwg Ordnans dangosir yn glir ei fod yn drac di-dor.

Yr oedd y tracffyrdd yn gwasanaethu ffermydd anghysbell ac yn fodd o gyrraedd y gweundir at ddibenion penodol. Byddai'r un llwybrau wedi'u defnyddio flwyddyn ar ôl blwyddyn i fynd ag anifeiliaid i'r tiroedd pori ar ddechrau'r gwanwyn. Mae'n debyg mai dyna ddiben y lonydd sy'n codi o'r dyffrynnoedd ac yn dod i ben yn sydyn ar dir uchel, fel y gwna, er enghraifft, y llwybr sy'n codi ar draws y bryn i Bant-y-fotty, yn mynd ymlaen y tu hwnt i'r tir a gaewyd ac yn dod i ben ar gefnen Creigiau Llwydion. Mae trac Bryn Poeth yn arwain heibio i'r mannau lle cloddid mawn o amgylch Llyn Alwen. Arferai llwybr Bwlch y Garnedd, hefyd, fynd heibio i fawnogydd.

axis have always been much less common.

Ascending from the vicinity of Pentrefoelas and traversing Bwlch y Garnedd, though on a less sinuous course than the neighbouring A543, is a sunken trackway about 4 to 5 metres wide and hollowed through continuous use to nearly a metre in depth. It was known in the later nineteenth century as the old Denbigh Road. Reaching the crest of the ridge overlooking the Alwen Valley it divides. One branch swings eastwards to cross the river and then north-eastwards to the little village of Nantglyn, and even today it is followed by footpaths and occasionally roads. Another branch ran northwards. These are the most obvious survivors of the tracks that crossed the moors in medieval times, and perhaps even earlier, adopting the most convenient lines in relation to the lie of the land and cutting across valleys only where absolutely necessary.

Other tracks link the villages surrounding Hiraethog to the moors themselves. One such is the minor lane running southwards from Llanfair Talhaiarn and Llansannan, which enters the moor close to a ruined cottage called Ty-nant. A trackway, signposted as a public right-of-way, then runs over Bryn Poeth, following the parish boundary closely, before diminishing to little more than a path. Just to the north of Llyn Alwen, on Moel Llyn, the path seems to fade, only to pick up again as a track skirting the lake and running south-westwards to Pentrefoelas. It is clearly depicted on early Ordnance Survey maps as a continuous track.

Trackways served remote farms and gave access to the moors for specific purposes. The same tracks would have been used year after year to take stock to the grazing grounds in early spring. Lanes that make their way from the valleys and stop abruptly on high ground were probably for such purposes, as for example the track which leads diagonally up the hill to Pant-y-fotty and which continues beyond the enclosed grounds to terminate on the ridge of Creigiau Llwydion. The Bryn Poeth track leads past peat cuttings that spread over the ground around Llyn Alwen, and the Bwlch y Garnedd track also passed close to turbaries.

Yr Ystadau Mawrion

The Large Estates

Pan gaeodd Harri VIII y mynachlogydd adeg 'Diddymu'r Mynachlogydd' yn y 1530au, fe atafaelwyd eu cyfoeth, gan gynnwys darnau helaeth o uwchdir ledled Cymru a Lloegr, gan y Goron. Erbyn i Elisabeth ddod yn frenhines ym 1558, cawsai'r mwyafrif o'r tiroedd hynny eu gwerthu i bendefigion a boneddigion lleol. Erbyn y ddeunawfed ganrif, aethai llawer o orllewin Hiraethog i ddwylo dyrnaid o berchnogion ystadau mawr, a hyd yn oed heddiw mae'r rhan fwyaf o Hiraethog yn eiddo i dri thirfeddiannwr mawr, sef

During the 1530s Henry VIII closed down the monasteries in what is known as 'The Dissolution of the Monasteries'. Monastic wealth, including vast tracts of upland throughout England and Wales, was confiscated, enriching the Crown. By the time Elizabeth came to the throne in 1558 most of these lands had been sold off, mainly to nobles and to the local gentry. By the eighteenth century much of Hiraethog was in the hands of a few large estate owners, and even today most of western Hiraethog is owned by three major landowners, the Crown

Arferai llawer o gerrig terfyn sefyll ar y gweundir, ond mae rhai ohonynt wedi'u dinistrio neu wedi syrthio ac eraill wedi'u difrodi gan yr elfennau dros gyfnod maith. Mae hwn yn dal i gofnodi terfyn tir Hafod Elwy.

Many boundary stones formerly existed on the moors, but some have been destroyed or have fallen over, others have been damaged by prolonged exposure to the elements. This one still records the boundary of Hafod Elwy's land.

CBHC - RCAHMW, DS2008_241_006_005, NPRN 280010

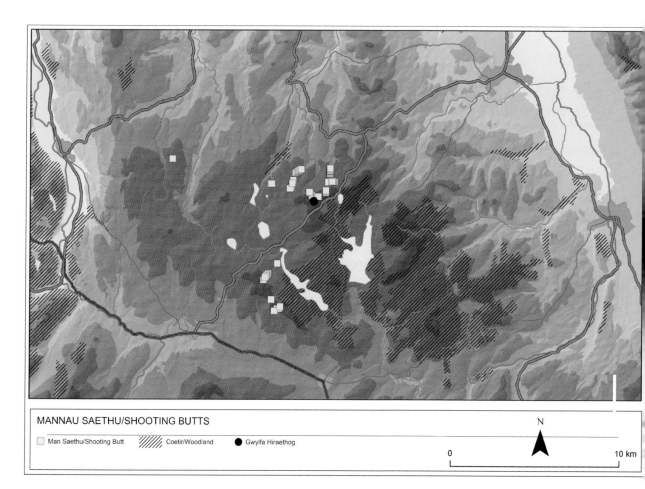

Map sy'n dangos dosbarthiad y mannau saethu i'r gogledd o Wylfa Hiraethog ac i'r gorllewin o Gronfa Ddŵr Alwen.

Map showing the distribution of shooting butts to the north of Gwylfa Hiraethog and to the west of the Alwen Reservoir.

Comisiynwyr y Goron, Ystâd y Foelas a Dŵr Cymru. Newydd-ddyfodiad gweddol ddiweddar i'r ardal yw Dŵr Cymru, ac er bod ei bresenoldeb yn amlwg oherwydd y cronfeydd dŵr, prin yw'r arwyddion amlwg o'r ystadau eraill am fod pori ac amaethu ar raddfa fach gan denantiaid wedi parhau pwy bynnag oedd perchennog y tir. Yr arwyddion amlycaf o'r ystadau yw'r cerrig a godwyd i ddynodi eu terfynau ac mae llawer o'r rheiny i'w gweld ar fapiau cynnar yr Arolwg Ordnans. Clogfeini naturiol oedd rhai ohonynt, ond cawsai blociau eraill o gerrig eu ffurfio'n fwriadol a cherfiwyd enw'r ystâd neu lythrennau blaen enwau'r tirfeddianwyr ar eu gwahanol wynebau.

Commissioners, the Voelas Estate and Welsh Water, the last of these a relative newcomer to the region. Welsh Water's presence is evident by its reservoirs, but physical manifestations of the other estates are few, for grazing and small-scale tenant farming have continued regardless of ownership. The most obvious signs of the estates are the stones that were erected to mark their boundaries. Often shown on the Ordnance Survey's early maps, some of these markers were simply natural boulders, while other blocks of stone were deliberately shaped, with the name of the estate or the initials of the landowners engraved on opposing faces. Stones on Mwdwl-

Cerfiwyd 'Hiraethog Garreg Lwyd' a 'Hiraethog Pont Alice Hugh' i'r cerrig ar Fwdwl-eithin i greu nodau terfyn sy'n cyfeirio at fannau penodol yn y dirwedd. Ar nod arall, un o lechi, cewch 'Hafod Elwy Boundary J.R.' ac fe'i codwyd ar y terfyn rhwng plwyfi Llansannan a Henllan. Er bod Hafod Elwy ddau gilometr tua'r de, mae'n debyg mai dyma derfyn cynefin ei defaid ac mai J.R. oedd y perchennog neu'r tenant adeg codi'r garreg.

Gan i saethu ar weundir dyfu'n fwyfwy poblogaidd tua diwedd y bedwaredd ganrif ar bymtheg, câi rhannau helaeth o Hiraethog eu rheoli fel ystadau saethu grugieir erbyn dechrau'r ugeinfed ganrif. Yr unig dŷ saethu hysbys yw adfeilion cofiadwy Gwylfa Hiraethog (gweler y blwch). Llawer mwy cyffredin, ond llai amlwg, yw'r llinellau o fannau saethu a nodwyd yn ystod yr arolwg, arwydd cyffredin o saethu grugieir. Banciau petryal, cylchog neu led-gylchog o gerrig neu bridd yw rhai ohonynt. Dydy eraill ddim mwy na phantiau sydd wedi'u tyllu. Cewch yma hefyd ddarnau byr o waliau cerrig, a'r rheiny weithiau wedi'u ffurfio'n siapiau mwy cymhleth er mwyn gallu gyrru'r adar i gyfeiriadau gwahanol. Byddai pob man saethu wedi bod yn lle i un gwn. Maent i'w cael mewn dwy ardal, y naill i'r gogledd o Wylfa Hiraethog lle cafwyd hyd i linellau o hyd at ddeg o fannau saethu, a'r llall i'r gorllewin o Gronfa Ddŵr Alwen lle mae'n debyg bod llinellau byrrach o ryw chwe man saethu yn arwyddion o'r saethu ar Ystâd y Foelas. Ambell waith, codid cytiau bach o gerrig i gysgodi'r grwpiau saethu rhag y tywydd ar Hiraethog. Mae un o'r rheiny ar Fwdwl-eithin yn betryal ei siâp a'i waliau heb fod yn codi uwchlaw uchder pen dyn. Mae ei ddrws, ei simnai a'r meinciau garw o gerrig ar hyd dwy ochr y tu mewn iddo yn dal i fod yno.

Weithiau, byddai'r ystadau mawrion yn manteisio ar un arall o adnoddau'r gweundir drwy greu cwningaroedd i ffermio cwningod. Prif nodwedd y rheiny yw twmpathau llinol o bridd a fyddai'n gartref i'r cwningod. Mae'r 'tomenni clustog' hynny wedi'u dogfennu'n helaeth a gellir eu gweld yn y lloc petryal sydd â waliau uchel iddo ar ymyl y tir agored ym Maes Merddyn, ychydig i'r gogledd o Bentrefoelas. Gan mai tir comin agored oedd y darn hwnnw o'r gweundir adeg Arolwg y Degwm ym 1846, rhaid mai'n ddiweddarach yn y bedwaredd ganrif ar bymtheg y codwyd y gwningar. Oes fer a gafodd hi, mae'n debyg.

eithin are incised with 'Hiraethog Garreg Lwyd' and 'Hiraethog Pont Alice Hugh', boundary markers referring to specific places in the landscape. Another, of slate, reads 'Hafod Elwy Boundary J.R.' and is set on the boundary between the parishes of Llansannan and Henllan. Hafod Elwy lay two kilometres to the south, but this was presumably the extent of their sheepwalk and J.R. was the owner or tenant at the time the stone was set up.

Game moors became increasingly popular in the later part of the nineteenth century, and by the early twentieth century large areas of Hiraethog were managed as grouse-shooting estates. There is only one known hunting lodge – the memorable ruin of Gwylfa Hiraethog (see inserted box). Much more frequent but less obvious are the lines of butts identified during the survey, a common reminder of grouse shooting. Some are rectangular, circular or semicircular banks of stone or earth, others no more than excavated hollows. There are, also, short lengths of stone walling, sometimes formed into more complex shapes to allow for the birds being driven from different directions. Each butt would have sheltered a single gun. They are found in two areas, one to the north of Gwylfa Hiraethog where lines of up to ten butts have been recognised, the other to the west of the Alwen Reservoir where the shorter lines of six or so butts probably represent shooting on the Foelas Estate. Occasionally, shooting parties were provided with small stone huts to shelter them from the Hiraethog weather. One on Mwdwl-eithin is rectangular with walls standing to more than head-height, with its doorway, chimney and rough stone benches along two sides internally still remaining.

A further use of moorland resources sometimes exploited by the great estates was rabbit farming. This was organised in warrens, the principal feature of which are linear earthen mounds constructed to accommodate the rabbits. These so-called 'pillow mounds' are well-documented and can be seen in a high-walled rectangular enclosure on the edge of the open land at Maes Merddyn, just north of Pentrefoelas. This segment of the moorland was open common at the time of the Tithe Survey in 1846. The warren must therefore have been built later in the nineteenth century and probably had a short life.

GWYLFA HIRAETHOG

Miliwnydd o Lannau Mersi, Hudson Ewbanke Kearley, a gododd dŷ saethu Gwylfa Hiraethog ym 1908. Daethai'n AS Rhyddfrydol tua diwedd y bedwaredd ganrif ar bymtheg ac fe'i crëwyd yn Is-iarll Devonport yn fuan ar ôl codi'r plasty. Mae'n

The shooting lodge known as Gwylfa Hiraethog (the watch-tower of Hiraethog) was built in 1908 by a Merseyside millionaire, Hudson Ewbanke Kearley, who had become a Liberal MP in the late nineteenth century and was created Viscount Devonport soon

Llun o gytiau cŵn Gwylfa Hiraethog yn y catalog gwerthu ym 1925. Bellach, maent yn adfeilion i'r dwyrain o'r plasty

A view of the Gwylfa Hiraethog kennels as portrayed in the sale catalogue of 1925; now a ruin to the east of the hunting lodge.

Llyfrgell Genedlaethol Cymru - National Library of Wales, NPRN 280061

debyg i'r plasty ddisodli *chalet* o bren ('y plas pren') a gawsai ei fewnforio mewn darnau parod o Norwy yn gynnar yn y 1890au. Fe'i hailwampiwyd ym 1918 a honnid mai hon oedd y drigfan uchaf yng Nghymru. Mwy dadleuol oedd honiad arall, sef mai oddi yno y gwelid y golygfeydd ehangaf o unrhyw dŷ ym Mhrydain. Yn sicr, ceir cofnod gan fab Arglwydd Devonport y gallai weld y plasty o bellter o bymtheg milltir ar ddiwrnod braf. Gwerthodd Devonport ef ym 1925. Mae'r llun yng nghatalog y gwerthiant yn dangos plasty bach trawiadol ond dim o'r dirwedd anghyfannedd o'i amgylch. Yn ddiweddarach, fe'i defnyddiwyd yn lety dros dro gan giperiaid cyn rhoi'r gorau i'w ddefnyddio yn y 1950au. Mae ei adfeilion llwm, sydd i'w gweld o bell, bob amser wedi bod yn symbol trawiadol o gampau helwyr ar Fynydd Hiraethog.

after he built the lodge. Reputedly it replaced a wooden chalet that had been imported in prefabricated sections from Norway in the early 1890s. It was remodelled in 1918 and was claimed as the highest inhabited house in Wales and, more contentiously, to have had the widest views of any house in Britain. Certainly Lord Devonport's son recorded that on a fine day he could see it fifteen miles away. Devonport sold it in 1925, and the photograph on the sales catalogue shows an imposing edifice, more like a small mansion, but gives no hint of the desolate landscape that it occupied. Later it was used as temporary accommodation by gamekeepers and was finally abandoned in the 1950s. Visible from a long distance, its gaunt ruins have always been the most evocative symbol of sporting pastimes on the Denbighshire moors.

Gwylfa Hiraethog ganol yr ugeinfed ganrif.

Gwylfa Hiraethog in the mid-twentieth century.

Llyfrgell Genedlaethol Cymru - National Library of Wales, NPRN 23045

Yr Ugeinfed Ganrif

The Twentieth Century

Gwelodd Hiraethog, fel y gwnaeth llu o uwchdiroedd eraill Cymru, gryn ostyngiad yn nifer ei thrigolion yn y bedwaredd ganrif ar bymtheg a'r ganrif ddilynol. Dros y blynyddoedd hynny, cronfeydd dŵr a choedwigoedd conwydd, yn hytrach nag aneddiadau, sydd wedi gadael eu holion annileadwy ar y dirwedd. Gan fod llynnoedd bach naturiol yn nodwedd ar Hiraethog ers amser maith, mae rhai ohonynt wedi'u haddasu'n gronfeydd dŵr. Ehangwyd Llyn Aled a Llyn Brân a chodwyd argaeau iddynt yn gynnar yn yr ugeinfed ganrif. Effaith codi'r argae o bridd a cherrig yn Llyn Aled oedd codi uchder y dŵr bedwar metr ac er bod y llyn yn anghysbell, mae yno glwb hwylio a oedd yn bod mor gynnar â'r 1870au. Yn ôl y sôn, trowyd Llyn Brân yn gronfa ddŵr er mwyn i Ysbyty Meddwl Gogledd Cymru yn Ninbych gael dŵr yfed.

Yn ystod yr ugeinfed ganrif y crëwyd y tair cronfa ddŵr newydd. Agorwyd Cronfa Ddŵr Alwen ym 1916 ac erbyn 1921 yr oedd yn darparu dŵr i Benrhyn Cilgwri. Adeiladwyd Aled Isaf yn y 1930au a'i gysylltu â Llyn Aled. Y bwriad oedd iddo gyflenwi trefi glan-môr y Rhyl a Phrestatyn ar hyd traphont ddŵr, ond ni chodwyd y bont oherwydd diffyg arian. Mae argae Cronfa Ddŵr Aled Isaf wedi'i chodi ar dro o flociau concrid ac iddynt wyneb creigiog. Yno, tŷ falfiau yn y dull Eidalaidd sy'n rheoli llif y dŵr, ac islaw'r argae mae gwaith modern i drin y dŵr. Yno hefyd mae teras o dai'r gweithwyr a fu wrthi'n adeiladu'r gronfa. Cronfa ddŵr helaeth a godwyd ganol y 1970au yw Cronfa Brenig, ac mae hi gryn dipyn yn fwy o faint na chronfeydd dŵr Alwen ac Aled Isaf. Mae'n 3.9 km o hyd (2.3 milltir) ac mae ei harwynebedd bron yn 4.28 km sgwâr (1.65 milltir sgwâr). Oherwydd ei hargae enfawr o bridd, mae Cronfa Ddŵr Brenig yn un o'r rhai mwyaf trawiadol ar uwchdiroedd Cymru. Er mai

Hiraethog, in common with many other Welsh uplands, witnessed a marked reduction in the number of its inhabitants in the nineteenth and twentieth centuries. In these years, rather than settlements, it has been reservoirs and conifer forests that have left their indelible marks on the landscape. Small, natural lakes have long been a feature of Hiraethog and some of these have been modified. Llyn Aled and Llyn Brân were enlarged with dams constructed in the earlier part of the twentieth century. The earth and stone dam at Llyn Aled raised its height by four metres, and the lake, remote though it is, still has a functioning boat club, which was in existence as early as the 1870s. Llyn Brân was reputedly made into a reservoir to provide drinking water for the North Wales Mental Hospital at Denbigh.

Three new reservoirs were created during the twentieth century. The Alwen Reservoir opened in 1916 and by 1921 was providing water for the Wirral Peninsula. Aled Isaf, constructed in the 1930s, was linked to Llyn Aled Lake and was intended to supply the coastal resorts of Rhyl and Prestatyn via an aqueduct; the structure was never built because of a lack of funds. Aled Isaf Reservoir consists of a curving dam of rock-faced concrete blocks, an Italianate valve house controlling the flow of water and, below the dam, a modern water treatment works; here there is also a terrace of workers' houses for those who were involved in the construction of the reservoir. The Alwen and Aled Isaf reservoirs are dwarfed by the extensive Brenig Reservoir of the mid-1970s, which is 3.9 km long (2.3 miles) and has a surface area almost 4.28 sq km (1.65 sq mi). With its massive earth dam the Brenig Reservoir is amongst the most impressive of the reservoirs found in the uplands of Wales; its prime purpose is to supply water to the towns of north-east Wales, but it

Yn y cefndir mae llyn naturiol, Llyn Aled, un bach o'i gymharu â Chronfa Ddŵr Aled Isaf. Draeniwyd rhan o Aled Isaf yn 2007 i wneud gwaith cynnal a chadw arno.

In the background is the small natural lake of Llyn Aled. Its full capacity is a contrast to the Aled Isaf Reservoir, which in 2007 was partially drained to allow maintenance work to take place.

CBHC - RCAHMW, 2007_2104

ei diben pennaf yw cyflenwi dŵr i drefi'r gogledd-ddwyrain, mae hi hefyd wedi datblygu'n atyniad i weithgareddau hamdden.

Dechreuwyd creu planhigfeydd conwydd ar weundir Hiraethog ar raddfa fach mor gynnar â degawdau cyntaf y bedwaredd ganrif ar bymtheg drwy sefydlu rhai planhigfeydd conwydd bach o amgylch Tŷ-isaf i'r gogledd o Gronfa Ddŵr Alwen. Ond yn ystod yr ugeinfed ganrif y gwelwyd creu'r goedwig fawr ar Glocaenog. Dechreuwyd arni yn y 1930au a'i hehangu ar ôl yr Ail Ryfel Byd gan orchuddio rhannau helaeth o ddwyrain y gweundir. Mae Coedwig Clocaenog, neu Goedwig Hiraethog, yn ymestyn dros ryw 60 o gilometrau sgwâr.

Yn yr unfed ganrif ar hugain, mae diwydiant arall ar fin cael cryn effaith ar Fynydd Hiraethog gan fod ffermydd gwynt eisoes wedi'u sefydlu ar Foel Maelogen ar ymyl ogledd-orllewinol Hiraethog a Thir Mostyn ynghanol y llain o goedwigaeth ar y gogledd-ddwyrain.

has also become a recreational attraction.

The imposition of conifer plantations on the moorlands of Hiraethog commenced, albeit on a small scale, as early as the opening decades of the nineteenth century, when some of the small conifer plantations around Tŷ-isaf to the north of the Alwen Reservoir were established. But the vast tract of forestry that forms Clocaenog Forest is a twentieth-century phenomenon, introduced in the 1930s and extended after the Second World War, to clothe large parts of the eastern moors. Clocaenog Forest, also known as Hiraethog Forest, extends for about 60 square kilometres.

In the twenty-first century another industry is set to have a significant effect on the Denbigh Moors. Windfarms have already been established on Moel Maelogen on the north-western edge of Hiraethog and Tir Mostyn amongst the forestry belt on the north-east. Others will follow, as the Welsh

Mae toriad byr yn y cymylau tywyll yn goleuo tyrbinau gwynt Moel Maelogen ar y gorwel yn rhan ogledd-orllewinol Hiraethog. Golwg o'r dwyrain.

Storm clouds briefly break to allow the illumination of the Moel Maelogen wind turbines on the skyline in the north-western quadrant of Hiraethog. Viewed from the east.

CBHC - RCAHMW, DS2008_247_002, NPRN 408314

Daw eraill yn eu tro gan i Lywodraeth y Cynulliad ddynodi Coedwig Clocaenog yn dir y ceir codi rhagor o ffermydd gwynt arno. Ni welir effaith hynny i gyd ar weundir Hiraethog tan i'r holl ffermydd gwynt gael eu codi. At ei gilydd, cânt fwy o effaith weledol nag un ffisegol, a hwy fydd yr ychwanegiad diweddaraf at yr amrywiaeth o weithgareddau y mae Hiraethog wedi'u cynnal dros y canrifoedd.

Assembly Government has designated Clocaenog Forest as an area where further windfarms can be constructed. The full impact on the moorlands of Hiraethog will only be realised when all the windfarms have been constructed. By and large they will have more of a visual impact than a physical one, the latest addition to the diverse range of activities that Hiraethog has supported over the centuries.

Safleoedd i Ymweld â Hwy

Credir bod yr holl safleoedd archaeolegol a restrir yma yn gyffredinol hygyrch i ymwelwyr. Er hynny, dylid bod yn ofalus wrth ymweld ag unrhyw un ohonynt. Cymorth defnyddiol wrth ddod o hyd i'r safleoedd yw map modern yr Arolwg Ordnans, naill ai'r Landranger 116 (Dinbych a Bae Colwyn), sef map 1:50,000, neu, yn well byth i'r cerddwr, y ddau fap Explorer 1:25,000: OL17 (Eryri: Dyffryn Conwy) a 264 (Dyffryn Clwyd).

• **Mynwent crugiau Brenig** (td.78). Mae sawl carnedd gladdu a chrug o'r Oes Efydd wedi'i hailgodi ar ymyl ddwyreiniol Cronfa Ddŵr Brenig. Mae maes parcio bach (Cyfeirnod y Grid Cenedlaethol: SH 9835 5742) ym mhen draw'r ffordd fetel, ac mae byrddau gwybodaeth wedi'u codi hwnt ac yma wrth y gronfa ddŵr (gweler yr adran ar deithiau cerdded). Mae carnedd gylchog wedi'i hailgodi yn SH 9834 5720 (NPRN 303462), a chrug crwn yn SH 9830 5726 (NPRN 303463). Ymhellach tua'r de-ddwyrain mae carnedd arall yn SH 9879 5636 (NPRN 303466).

• **Hen Ddinbych** (td.47). Gorwedd y lloc ar lwybr caniataol yn SH 9905 5636 (NPRN 303472). Fe'i cyrhaeddir o'r un maes parcio â charneddau Brenig uchod. Ond does dim bwrdd gwybodaeth ar y safle.

• **Canolfan Ymwelwyr Brenig.** Mae adluniadau o'r safleoedd cynhanesyddol a gloddiwyd cyn adeiladu'r gronfa ddŵr wedi'u creu ar gyfer eu harddangos yn y Ganolfan Ymwelwyr ym mhen deheuol y gronfa ddŵr (yn SH 9675 5471).

• **Crug Boncyn Crwn** (td.35). Mae'r twmpath enfawr hwn o bridd wrth ochr y ffordd ddi-ffens sy'n arwain tua'r gogledd o Gronfa Ddŵr Aled Isaf yn SH 9192 6217 (NPRN 303511).

• **Gwytherin** (td.24). Ar ochr ogleddol eglwys y pentref bach hwn, ychydig oddi ar Hiraethog, cewch linell o feini hirion yn y fynwent. Ar un ohonynt mae arysgrif o'r Oesoedd Canol Cynnar (SH 8766 6146) (NPRN 275771). Heb fod ymhell oddi yno, ym mynwent pentref Llangernyw, cewch ragor o feini sydd â chroesau arnynt (SH 8752 6744) (NPRN 275778), ynghyd â'r ywen yr honnir mai hi yw'r goeden fyw hynaf yng Nghymru.

• **Pincyn Llys** (td.20). Mewn llannerch ar ben bryn yn SJ 0648 5514 (NPRN 32679) mae carreg goffa Arglwydd Bagot. Yn ei hymyl, ac i'r gorllewin ohoni, mae gwrthglawdd a all fod wedi bod yn safle caban saethu bach. Lai na 100 metr tua'r gorllewin (yn SJ 0642 5515) mae tomen gladdu gynhanesyddol arall (NPRN 306615).

• Gan fod **Gwylfa Hiraethog** (td.70) ar dir preifat, ni cheir ymweld ag ef, ond gellir ei weld o'r llwybr tramwy cyhoeddus wrth ochr y Sportsman's Arms (SH 9525 5907).

Sites to Visit

All of the archaeological sites listed here are believed to be accessible generally for visitors. Nevertheless, care should be taken in visiting any of them. A useful aid in locating the sites is a modern Ordnance Survey map, either the 1:50,000 Landranger 116 (Denbigh & Colwyn Bay area) or better still for the walker the two 1:25,000 Explorer maps: OL17 (Snowdon: Conwy Valley) and 264 (Vale of Clwyd).

• **Brenig barrow cemetery** (p.78). Several reconstructed Bronze Age burial cairns and barrows lie on the eastern edge of the Brenig Reservoir. There is a small car park (National Grid Reference SH 9835 5742) at the end of the metalled road, and information boards have been erected at various points near the reservoir (see the section on walks). A reconstructed ring cairn is at SH 9834 5720 (NPRN 303462), and a round barrow at SH 9830 5726 (NPRN 303463). More distant to the south-east is another cairn at SH 9879 5636 (NPRN 303466).

• **Hen Ddinbych** (p.47) The enclosure lies on a permissive path at SH 9905 5636 (NPRN 303472). Access is from the same carpark as for the Brenig cairns above. There is, however, no information board on the site.

• **Brenig Visitor Centre.** Reconstructions of prehistoric sites excavated in advance of the reservoir's construction have been created for a display at the Visitor Centre at the south end of the reservoir (at SH 9675 5471).

• **Boncyn Crwn barrow** (p.35). This large earthen mound lies beside the unfenced road leading north from Aled Isaf Reservoir at SH 9192 6217 (NPRN 303511).

• **Gwytherin** (p.24). Just off Hiraethog, this small village contains in its churchyard, on the north side of the church, a line of standing stones, one with an Early Medieval inscription (SH 8766 6146) (NPRN 275771). Not far away there are further cross-inscribed stones in the village churchyard at Llangernyw (SH 8752 6744) (NPRN 275778), together with a yew that is claimed to be the oldest living tree in Wales.

• **Pincyn Llys** (p.20). Lord Bagot's memorial lies in a hilltop clearing at SJ 0648 5514 (NPRN 32679). Adjacent on the west is an earthwork, which may mark the site of a small hunting lodge. Less than 100 metres to the west (at SJ 0642 5515) is another prehistoric burial mound (NPRN 306615).

• **Gwylfa Hiraethog** (p.70) lies on private land and is not accessible to visitors. However it can be seen from the public right of way alongside the Sportsmans Arms (SH 9525 5907).

Teithiau Cerdded - Walks

I wir werthfawrogi uwchdiroedd anghysbell Hiraethog, mae angen i'r cerddwr ddianc rhag y ffyrdd a'r cronfeydd dŵr. Er bod rhannau mawr o Hiraethog bellach ar agor i'r cyhoedd eu tramwyo, rhaid bod yn ofalus iawn mewn rhai mannau ac mae'n well cadw at y llwybrau cydnabyddedig.

To experience in full the remoteness of the Hiraethog uplands, the walker needs to get away from the roads and reservoirs. Large parts of Hiraethog are now open for public access, but great care must be taken in some areas and it is better to stick to recognised paths.

- **Llwybr Brenig (Map Explorer 264 yr Arolwg Ordnans; llwybr cerdded caniataol; caniatewch o leiaf awr; pellter y daith gyfan yw rhyw 3 chilometr)**

- **The Brenig Trail (OS Explorer Map 264; permissive footpath; allow at least one hour; distance for the round trip about 3 kilometres)**

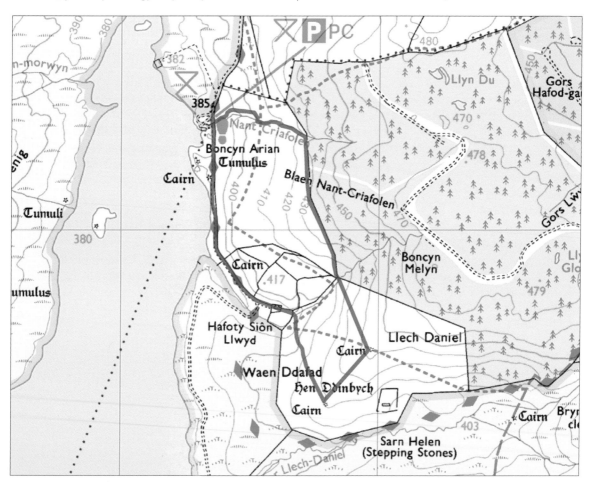

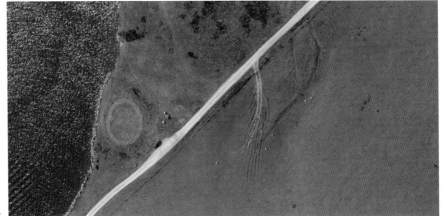

Awyrlun o heneb Brenig 44, carnedd gylch a gloddiwyd yn ystod y 1970au (gweler tudalen 32).

Aerial view of Brenig 44, a ring cairn excavated during the 1970s (see page 32).

CBHC - RCAHMW AP2007_2124, NPRN 303462.

Ym mhen gogledd-ddwyreiniol Cronfa Ddŵr Brenig mae ffordd fetel yn rhedeg tua'r de oddi ar y B4501 (SH 9880 5846). Ym mhen draw'r ffordd mae maes parcio bach (SH 9835 5742). Ar droed, dilynwch lwybr y fferm drwy'r llidiardau tua'r de, heibio i fwrdd gwybodaeth gyffredinol wrth ochr y llidiard a'r garnedd gylchog sydd wedi'i hadlunio (yn SH 9834 5720), sydd â'i bwrdd gwybodaeth ei hun, a chrug crwn (yn SH 9830 5731). Ar ôl 500 metr, gadewch lwybr y fferm ac ewch yn syth ymlaen drwy lidiard gan fynd heibio i fferm anghyfannedd Hafoty Siôn Llwyd. Yna, drwy ddringo'r llwybr garw ar draws y bryn i dir pori agored, fe ddewch chi at garnedd arall sydd wedi'i hailgodi (SH 9879 5636). Mae gwrthgloddiau Hen Ddinbych (SH 9905 5636) ddau gan metr tua'r dwyrain. Dylech chi'n awr gerdded i fyny'r bryn am ryw gant a hanner o fetrau nes cyrraedd carnedd lwyfan fawr (yn SH 9897 5656) sy'n wastad ac yn anodd ei gweld o bell. Yna, ewch tua'r gogledd-orllewin gan chwilio am y pyst llwybrau sydd wedi'u codi gan Wasanaeth Cefn Gwlad Sir Ddinbych ac wedi'u marcio â disg gron a saeth ddu. Gan y gall fod yn anodd gweld rhai o'r pyst hynny oherwydd twffiau o laswellt uchel, anelwch am y llidiard ger cornel y blanhigfa. Ewch drwy'r llidiard yn (SH 98845682) a dilynwch gwrs sy'n rhedeg yn gyfochrog, yn fras, â'r blanhigfa gonwydd mor bell â Nant Criafolen. Ger blaen y nant mae bwrdd gwybodaeth am yr hafotai sydd gerllaw. Dilynwch y nant i lawr y bryn nes cyrraedd y maes parcio.

At the north-east tip of the Brenig Reservoir a metalled road runs southwards off the B4501 (SH 9880 5846). At the end of the road is a small car park (SH 9835 5742). On foot follow the gated farm track southwards, past a general information board beside the gate and a reconstructed ring cairn (at SH 9834 5720), also with its own information board, and a round barrow (at SH 9830 5731). After 500 metres leave the farm track and go straight on, through a gate and pass in front of the abandoned farm called Hafoty Siôn Llwyd, and then, by following the rough track diagonally uphill into open pasture, you come to another reconstructed cairn (SH 9879 5636). The earthworks of Hen Ddinbych (SH 9905 5636) lie 200 metres to the east. You should now walk uphill for about 150 metres to a large platform cairn (at SH 9897 5656), which is flat and difficult to identify from a distance, and then north-westwards, looking out for the waymarker posts that have been erected by Denbighshire Countryside Service and marked with a round disc and a black arrow. Some of the waymarkers may be hard to see, obscured by high tussocky grass, so aim for the gate near the corner of the plantation. Go through the gate (at SH 9884 5682) and follow a course broadly parallel to the conifer plantation as far as Nant Criafolen. An information board about the *hafotai* lying beside it is located near the head of the stream. Follow the stream downhill back to the carpark.

• **Llwybr Llyn Alwen (Mapiau Explorer OL 17 ac OL 18 yr AO; llwybr mynediad cyhoeddus; caniatewch awr a hanner i gyrraedd y llyn; pellter o ryw 4 cilometr).**

Does dim llawer o lwybrau troed clir ar Hiraethog, ond mae un o'r goreuon yn croesi de'r gweundir i Lyn Alwen, un o'r llynnoedd naturiol mwyaf deniadol ar y gweundir i gyd.

O Bentrefoelas dilynwch y B5113 tua'r gogledd drwy'r pentref ac ymhen 1.4 cilometr trowch yn syth i'r dde i ffordd fach (SH 8648 5239). Ar ôl ychydig dros gilometr, parciwch ar ochr chwith un o'r ddau grid gwartheg – mae'r ail (SH 8736 5301) ryw 400 metr ymhellach i fyny'r ffordd na'r cyntaf (yn SH 8689 5254), a gwnewch yn siŵr nad ydych yn rhwystro mynediad i'r trac nac i'r caeau. Does ond lle i ddau gar barcio'n ddiogel wrth y ddau grid. Mae trac sy'n agored i'r cyhoedd yn arwain tua'r gogledd-ddwyrain drwy gaeau, i gychwyn, ac ar ôl 800 metr yn cyrraedd y gweundir yn SH 8773 5374. Mae'n mynd ymlaen heibio i Foel Rhiwlug a Phen yr Orsedd i Lyn Alwen, pellter o bron 4 cilometr. Dewch yn ôl yr un ffordd.

• **Llyn Alwen track (OS Explorer Maps OL 17 & OL 18; public access path; allow 1½ hours to the lake; distance about 4 kilometres).**

There are not many well-marked footpaths on Hiraethog, but one of the best crosses the southern moors to Llyn Alwen, one of the more attractive of the natural lakes on these moors.

From Pentrefoelas take the B5113 running northwards through the village and after 1.4 kilometres take a sharp right turn onto a minor road (SH 8648 5239). After a little over a kilometre park on the left-hand side at one of the two cattle grids – the second (SH 8736 5301) is about 400 metres further up the road than the first (at SH868 95254), making sure you do not block the access track or field entrances. There is only room to park two cars safely at each grid. An unmade track, accessible to the public, leads north-eastwards initially through enclosed fields and after 800 metres enters the moorlands at SH 8773 5374. The track continues past Moel Rhiwlug and Pen yr Orsedd to Llyn Alwen, a distance of nearly 4 kilometres. Retrace your steps.

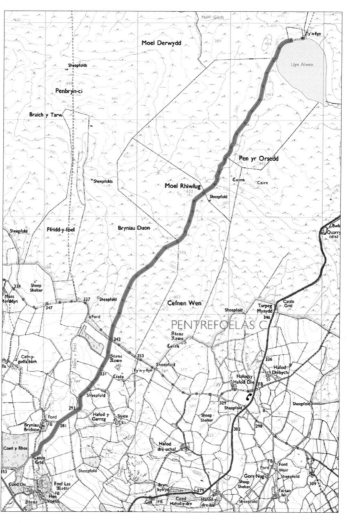

- **Pincyn Llys (Map Explorer 264 yr AO; llwybr mynediad cyhoeddus, caniatewch awr; pellter o lai na 600 metr i gyrraedd crib y gefnen)**

O'r gogledd y dylid dod at y daith gerdded fer hon o ryw hanner cilometr, a hynny ar hyd ffordd ddi-ddosbarth o Ruthun gan droi i'r chwith i Glocaenog ym mhentref bach Bontuchel. Ar ôl cilometr mae'r ffordd yn gwahanu – ewch i'r dde gan ddilyn yr arwydd 'Hiraethog'. Gallwch chi hefyd gyrraedd y safle o'r de drwy droi tua'r gogledd oddi ar y B5101 yng Nghlawdd Newydd a dilyn arwyddion 'Bontuchel' drwy bentref Clocaenog nes cyrraedd y tro i Hiraethog. Mae digon o le parcio ar gael wrth y ffordd yn SJ 0644 5566. Wrth ochr y ffordd mae bwrdd gwybodaeth y Comisiwn Coedwigaeth, ac mae llwybr ac arwyddion ar hyd-ddo yn arwain drwy'r coed yn syth i Bincyn Llys. Anelwch am yr obelisg yn SJ 0648 5513 am fod arno arysgrifau diddorol o 1830 a 1930 (gweler tudalennau 28 a throsodd). Fe welwch chi olygfeydd hyfryd tua'r gogledd-ddwyrain ar draws Sir Ddinbych.

- **Pincyn Llys (OS Explorer Map 264; public access path; allow 1 hour; distance less than 600 metres to the crest of the ridge)**

This short walk of about half a kilometre should be approached from the north, via an unclassified road from Ruthin with a left turning to Clocaenog in the hamlet of Bontuchel. After a kilometre the road forks – take the right-hand option marked Hiraethog. The site can also be approached from the south, by turning north off the B5101 at Clawdd Newydd and following the Bontuchel signs through Clocaenog village to the Hiraethog turning. There is ample car parking available by the road at SJ 0644 5566. A Forestry Commission information board is set beside the road and a waymarked path leads through the woods directly to Pincyn Llys. Make for the obelisk at SJ 0648 5513, which has interesting inscriptions from 1830 and 1930 (see pages 28 and over). There are excellent views across Denbighshire to the north-east. Notice too the small earthwork bank and ditch, which lies to the west of the obelisk. No

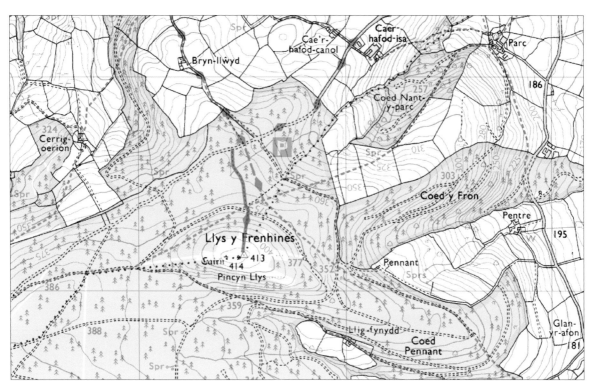

Sylwch hefyd ar fanc a ffos y gwrthglawdd bach i'r gorllewin o'r obelisg. Ŵyr neb i sicrwydd beth yw hwnnw, ond fe allai fod yn safle cwt hela bach o'r Oesoedd Canol. Lai na chan metr tua'r gorllewin (yn SJ 0642 5515) mae tomen gladdu gynhanesyddol arall, ond mae honno heb ei chloddio. Ewch yn ôl i'ch car yr un ffordd.

one knows for certain what this is, but it could be the position of a small hunting lodge from medieval times. Less than a hundred metres to the west (at SJ 0642 5515) is another prehistoric burial mound, this one unexcavated. Retrace your steps back to your car.

Mae'r ddau awdurdod lleol sy'n gyfrifol am Hiraethog wedi cynhyrchu set o fapiau ar gyfer 'Rhwydwaith Llwybrau Mynydd Hiraethog', mapiau sy'n darlunio teithiau cerdded o amgylch ymylon de a dwyrain y gweundir. Gallwch eu prynu'n eithaf rhad yn y swyddfeydd lleol sy'n rhoi gwybodaeth i ymwelwyr.

Gan fod teithiau cerdded 2 a 3 yn eithaf agos at ei gilydd, gallech chi eu gwneud mewn prynhawn drwy ddefnyddio'r ffyrdd di-ddosbarth rhwng y ddau safle.

The two local authorities responsible for Hiraethog have produced a set of maps for 'the Mynydd Hiraethog and Denbigh Moors Footpath Network', which illustrate walks around the southern and eastern fringes of the moors. These can be purchased for a small cost at local tourist information offices.

Walks 2 and 3 are located fairly close together and could be managed in a single afternoon using unclassified roads between the two sites.

Cael gwybod rhagor

Mae manylion pob safle sydd wedi'i grybwyll yn y llyfr hwn, a llu o rai eraill, i'w gweld ar gronfa ddata ar-lein ddi-dâl y Comisiwn Brenhinol, www.coflein.gov.uk. Yn aml, bydd y cofnodau yno'n cynnwys disgrifiadau testun, lluniau a gwybodaeth ychwanegol, a chewch ddefnyddio map neu destun i chwilio'r gronfa ddata. Cewch fynd yn syth i unrhyw safle drwy chwilio am y Rhif Cofnodi Sylfaenol Cenedlaethol (NPRN) a ddyfynnir yng nghapsiynau'r lluniau ac mewn mannau eraill.

I gael gwybodaeth am Gronfa Ddŵr Brenig ac i weld arddangosfa sy'n rhoi sylw i'r gwaith cloddio a wnaed cyn iddi gael ei hadeiladu, ewch i ganolfan ymwelwyr Llyn Brenig ym mhen deheuol y llyn. Yr oriau agor ar hyn o bryd yw 10.00am – 5.00pm o ganol Mawrth tan tua diwedd mis Hydref.

I gael gwybod rhagor am archaeoleg Hiraethog a'r teithiau cerdded perthnasol, ewch i wefan y Comisiwn Brenhinol yn www.cbhc.gov.uk

Finding out more

All the sites mentioned in this book, and many others, can be found on the Royal Commission's free online database, www.coflein.gov.uk. Entries often include text descriptions, images and additional information, and the database can be searched by map or by text. You can go directly to any site mentioned by searching for its NPRN (National Primary Record Number), which is quoted in image captions and elsewhere.

For information on the Brenig Reservoir and an exhibition centred on the excavations that were conducted in advance of its construction, go to the Llyn Brenig Visitor Centre at the southern end of the lake. Opening times are presently between 10.00am and 5.00pm from mid-March to late October.

For further information on the archaeology of Hiraethog and relevant walks visit the Royal Commission's website at www.rcahmw.gov.uk

---

Comisiwn Brenhinol Henebion Cymru
Royal Commission on the Ancient and Historical Monuments of Wales
www.cbhc.gov.uk www.coflein.gov.uk   www.rcahmw.gov.uk www.coflein.gov.uk

---

Cyfeiriadau a darllen pellach

References and further reading

Allen, D. 1979. Excavations at Hafod y Nant Criafolen, Brenig Valley, Clwyd, 1973-4, *Post-Medieval Archaeology* 13, 1-59.

Berry, A. Q. 1994. The parks and forests of the Lordship of Dyffryn Clwyd, *Denbighshire Historical Society Transactions* 43, 7-25.

Bowen, E. G. (ed.) 1957. *Wales. A physical, historical and regional geography*, London: Methuen.

Brassil, K. S. 1989. Llyn Aled Isaf, *Archaeology in Wales* 29, 46.

Brassil, K. S. 1992. Ty Tan y Foel, *Archaeology in Wales* 32, 58.

Britnell, W. J. 2002. *Mynydd Hiraethog. Historic landscape characterization*, Welshpool: Clwyd-Powys Archaeological Trust.

Browne, D. M. & Hughes, S. (eds.) 2003. *The Archaeology of the Welsh Uplands*, Aberystwyth: RCAHMW.

Caseldine, A. 1990. *Environmental Archaeology in Wales*, Lampeter: St David's University College.

Clwyd Archaeology News, 1995. *Hiraethog's Changing Vegetation*, Mold: Clwyd Archaeology Service.

Davies, W. 1810. *A General View of the Agriculture and Domestic Economy of North Wales*, London: R Phillips.

Davies, E. 1929. *The Prehistoric and Roman Remains of Denbighshire*, Cardiff: William Lewis (Printers) Ltd.

Davies, E. 1977. Hendre and hafod in Denbighshire, *Denbighshire Historical Society Transactions*, 26, 49-72.

Davies, E. 1977. Hendre and hafod in Denbighshire, *Trafodion Cymdeithas Hanes Sir Ddinbych*, 26, 49-72.

Dyer, C. C. 1995. Sheepcotes: evidence for medieval sheepfarming, *Medieval Archaeology* 39, 136-64.

Edwards, N. 1991. The Dark Ages. Yn J. Manley, S. Grenter ac F. Gale (goln), *The Archaeology of Clwyd*, 129-141

Evans, J. 1798. *Letters written During a Tour through North Wales, in the year 1798, and at other times*, Llundain: C. ac R. Baldwin.

Grant, F. 2007. Analysis of a peat core from Mynydd Hiraethog (Denbigh Moors), North Wales. Adroddiad 0107 a gynhyrchwyd ar gyfer y Comisiwn Brenhinol.

Gresham, C., Hemp, W. J. a Thompson F. H. 1959. Hen Ddinbych, *Archaeologia Cambrensis* 108, 72-80.

Hays, R. W. 1963. *The History of the Abbey of Aberconway, 1186-1537*, Caerdydd: Gwasg Prifysgol Cymru.

Hughes, R. E., Dale, J., Williams I. E. a Rees, D. I. 1973. Studies in sheep population and environment in the mountains of north-west Wales, *Journal of Applied Ecology* 10, 113-32.

Jones, F. P. 1969, *Crwydro Gorllewin Dinbych*, Llandybïe: Llyfrau'r Dryw, 160-189

Jones, G. R. J. 1991. Medieval Settlement. Yn Manley, J. ac eraill, *The Archaeology of Clwyd*, 186-202.

Jope, E. M. 2000. *Early Celtic Art in the British Isles*, Rhydychen: Clarendon Press.

Kay, G. 1794. *General View of the Agriculture of North Wales: With observations on the means of its improvement*, Caeredin: J. Moir.

Knight, J. 1999. *The End of Antiquity, Archaeology, Society and Religion AD 235-700*, Stroud: Tempus.

Dyer, C. C. 1995. Sheepcotes: evidence for medieval sheepfarming, *Medieval Archaeology* 39, 136-64.

Edwards, N. 1991. The Dark Ages. In J. Manley, S. Grenter & F. Gale (eds.). *The Archaeology of Clwyd*, 129-141.

Evans, J. 1798. *Letters Written During a Tour through North Wales, in the year 1798, and at other times*, London: C. and R. Baldwin.

Grant, F. 2007. Analysis of a peat core from Mynydd Hiraethog (Denbigh Moors), North Wales. Report 0107 produced for the Royal Commission.

Gresham, C., Hemp, W. J. & Thompson F. H. 1959. Hen Ddinbych, *Archaeologia Cambrensis* 108, 72-80.

Hays, R. W. 1963. *The History of the Abbey of Aberconway, 1186-1537*, Cardiff: University of Wales Press.

Hughes, R. E., Dale, J., Williams I. E. & Rees, D. I. 1973. Studies in sheep population and environment in the mountains of north-west Wales, *Journal of Applied Ecology* 10, 113-32.

Jones, G. R. J. 1991. Medieval Settlement. In Manley, J. et al. *The Archaeology of Clwyd*, 186-202.

Jope, E. M. 2000. *Early Celtic Art in the British Isles*, Oxford: Clarendon Press.

Kay, G. 1794. *General View of the Agriculture of North Wales: With observations on the means of its improvement*, Edinburgh: J. Moir.

Knight, J. 1999. *The End of Antiquity, Archaeology, Society and Religion AD 235-700*, Stroud: Tempus.

Lascelles, D. B. 1995. Holocene Environmental and Pedogenic History of Hiraethog Moors, Clwyd. Unpublished Ph.D. thesis, University of Wales.

Lewis, S. 1833. *A Topographical Dictionary of Wales*, 2 vols., London: S. Lewis and Co.

Lloyd, T. 1989. *Lost Houses of Wales*, London: SAVE Britain's Heritage.

Lascelles, D. B. 1995. Holocene Environmental and Pedogenic History of Hiraethog Moors, Clwyd. Traethawd ymchwil Ph.D. heb ei gyhoeddi, Prifysgol Cymru.

Lewis, S. 1833. *A Topographical Dictionary of Wales*, 2 gyfrol, Llundain: S. Lewis a'r Cwmni

Lloyd, T. 1989. *Lost Houses of Wales*, Llundain: SAVE Britain's Heritage.

Lynch, F. 1969. The megalithic tombs of north Wales, yn T. G. E. Powell, J. X. W. Corcoran, F. Lynch a J. G. Scott, *Megalithig Enquiries in the West of Britain*, Lerpwl: Gwasg Prifysgol Lerpwl, 108-48

Lynch, F. 1993. *Excavations in the Brenig Valley. A Mesolithic and Bronze Age landscape in north Wales*, Caerdydd: Cymdeithas Hynafiaethau Cymru.

Lynch, F., Aldhouse-Green, S. a Davies J. L. 2000. *Prehistoric Wales*, Stroud: Sutton Publishing.

Manley, J. 1990. A Late Bronze Age landscape on the Denbigh Moors, northeast Wales, *Antiquity* 64, 514-26.

Manley, J., Grenter, S. a Gale, F. (goln), 1991. *The Archaeology of Clwyd*, Yr Wyddgrug: Cyngor Sir Clwyd.

Millward, R. a Robinson, A. 1978. *Landscapes of North Wales*, Newton Abbot: David and Charles.

Owen, H. W. a Morgan, R. 2007. *Dictionary of the Place-names of Wales*, Llandysul: Gwasg Gomer.

Owen, T. M. 1990. *Torri mawn*, Llanrwst: Gwasg Carreg Gwalch.

Peate, I. C, 1946. *The Welsh House*, Lerpwl: Gwasg y Brython.

Pennant, T. 1784, *A Tour in Wales*, 2 gyfrol. Adargraffwyd gan Bridge Books, Wrecsam, 1991.

Quartermaine, J., Trinder, B. a Turner, R. 2003. *Thomas Telford's Holyhead Road. The A5 in north Wales*, Caerefrog: Cyngor Archaeoleg Prydain.

Lynch, F. 1969. The megalithic tombs of north Wales. In T. G. E. Powell, J. X. W. Corcoran, F. Lynch and J. G. Scott, *Megalithic Enquiries in the West of Britain*, Liverpool: Liverpool University Press, 108-48.

Lynch, F. 1993. *Excavations in the Brenig Valley. A Mesolithic and Bronze Age landscape in north Wales*, Cardiff: Cambrian Archaeological Association.

Lynch, F., Aldhouse-Green, S. & Davies J. L. 2000. *Prehistoric Wales*, Stroud: Sutton Publishing.

Manley, J. 1990. A Late Bronze Age landscape on the Denbigh Moors, northeast Wales, *Antiquity* 64, 514-26.

Manley, J., Grenter, S. & Gale, F. (eds.), 1991. *The Archaeology of Clwyd*, Mold: Clwyd County Council.

Millward, R. & Robinson, A. 1978. *Landscapes of North Wales*, Newton Abbot: David and Charles.

Owen, H. W. and Morgan, R. 2007. *Dictionary of the Place-names of Wales*, Llandysul: Gomer Press.

Owen, T. M. 1990. *Torri mawn*, Llanrwst: Gwasg Carreg Gwalch.

Peate, I. C, 1946. *The Welsh House*, Liverpool: Brython Press.

Pennant, T. 1784, *A Tour in Wales*, 2 vols. Reprinted by Bridge Brooks, Wrexham, 1991.

Quartermaine, J., Trinder, B. & Turner, R. 2003. *Thomas Telford's Holyhead Road. The A5 in north Wales*, York: Council for British Archaeology.

RCAHMW, 1914. *An Inventory of the Ancient Monuments in Wales and Monmouthshire. III County of Denbigh*, London: HMSO.

Richards, A. J. 1991. *A Gazetteer of the Welsh Slate Industry*, Llanrwst: Gwasg Carreg Gwlach.

Sayce, R. U. 1957. The old summer pastures. Part II: life at the hafodydd, *Montgomeryshire Collections* 55, 37-86 .

Richards, A. J. 1991. *A Gazetteer of the Welsh Slate Industry*, Llanrwst: Gwasg Carreg Gwalch.

Sayce, R. U. 1957. The old summer pastures. Part II: life at the hafodydd, *Montgomeryshire Collections* 55, 37-86 .

Silvester, R. J. a Hankinson, R. 2004, *Round huts in north-east Wales*, Y Trallwng: CPAT Report 625.

Simmons, I. G. 2003. *The Moorlands of England and Wales. An environmental history 8000 BC – AD 2000,* Caeredin: Gwasg Prifysgol Caeredin.

Skuse, M. 2001. Hiraethog, *Rural Wales*, Haf 2001

Smith, L. T. (gol.) 1964. *The Itinerary of John Leland in or about the Years 1535-1543*, Llundain: Centaur Press.

Taylor, J. A. 1957. The northern borderland (and the Vale of Clwyd). Yn Bowen, E. G. (gol.) *Wales*, 431-60.

Vinogradoff, P. a Morgan, F. (goln) 1914. *Survey of the Honour of Denbigh*, Llundain: H. Milford ar gyfer yr Academi Brydeinig.

Wiliam, E. 2010. *Y Bwthyn Cymreig: Arferion Adeiladu Tlodion y Gymru Wledig 1750-1900,* Aberystwyth: Comisiwn Brenhinol Henebion Cymru.

Williams, D. H. 1990. *Atlas of Cistercian Lands,* Caerdydd: Gwasg Prifysgol Cymru.

Silvester, R. J. & Hankinson, R. 2004, *Round huts in north-east Wales*, Welshpool: CPAT Report 625.

Simmons, I. G. 2003. *The Moorlands of England and Wales. An environmental history 8000 BC – AD 2000*, Edinburgh: Edinburgh University Press.

Skuse, M. 2001. Hiraethog, *Rural Wales*, Summer 2001.

Smith, L. T. (ed.) 1964. *The Itinerary of John Leland in or about the Years 1535-1543*, London: Centaur Press.

Taylor, J. A. 1957. The northern borderland (and the Vale of Clwyd). In Bowen, E. G. (ed.) *Wales*, 431-60.

Vinogradoff, P. and Morgan, F. (eds.) 1914. *Survey of the Honour of Denbigh*, London: H. Milford for the British Academy.

Wiliam, E. 2010. *The Welsh Cottage: Building Traditions of the Rural Poor 1750-1900*, Aberystwyth: Royal Commission on the Ancient and Historical Monuments of Wales.

Williams, D. H. 1990. *Atlas of Cistercian Lands*, Cardiff: University of Wales Press.

Tudalen nesaf. Awyrlun o goedwig ar Foncyn Melyn, i'r gogledd o Hen Ddinbych. Sbriws Sitka yw'r blanhigfa gan mwyaf, a phlannwyd coed llarwydd hwnt ac yma ar hyd ochr y llwybr. Yn yr hydref, pryd y tynnwyd y llun hwn, bydd y coed llarwydd yn troi'n frown euraid ac yn cyferbynnu'n drawiadol â'r coed o'u cwmpas.

Following page. Aerial view of forestry on Boncyn Melyn, to the north of Hen Ddinbych. The plantation is predominantly sitka spruce with larch planted selectively alongside the track. In autumn, when the image was taken, larch turns golden brown revealing a striking contrast with surrounding trees.

CBHC - RCAHMW, AP_2009_3307